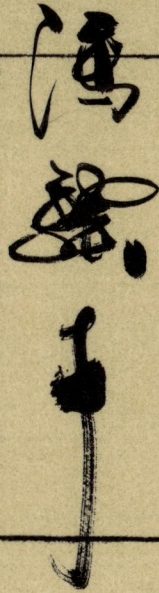

书画卷

◎冯骥才 著

诗文书画

青岛出版社
QINGDAO CHUBANSHE

诗｜文｜书｜画

书画卷

绘画 一 书法 一 画论 · 艺术随笔

书画卷

　　书画是我的艺术方式和心灵方式之一，与写作并重。

　　我自一九六一年至一九六六年在天津国画研究会的书画社工作，专事摹古，致力传统，钻得很深。"文革"时期摹古的工作被迫中断，绘画便成了我纯粹的个人痴迷的追求。我工山水，喜好写生。更由于那时的绘画是无功利的，我又性近诗文，一种抒写心怀的文人画的因子便崭露笔端。

　　"文革"之后我跨入文坛，日写数千言，翰墨丹青只是偶尔为之。不曾想到文学对心灵深入的浸染，竟使我绘画的想象悄然变异。一九八九年后一度重新回到画案之前，竟然已是另一个绘画的自己。这感受曾被我写在《我非画家》《绘画是文学的梦》等文章中。我的文人画观，实际上是二十世纪九十年代渐渐形成的。由于笔墨可以抒写性情，近二十年已是我重要的心灵方式。

　　我的绘画一方面来自我的文学、我的天性和我的审美感觉；一方面缘自我的绘画观。我喜欢艺术史和艺术理论。理性思维会使自己的主张和追求更明确、更自觉。在这方面，我的另一支写作的笔便来帮忙，使我写了不少关于艺术史与评论的文章，还有长长短短的散文化的艺术随笔。

　　于是本卷分为书画作品与文字两部分。

　　绘画作品分为三个时期：一九六一年至一九六六年、一九六七年至一九七七年、一九九〇年至二〇一四年。

　　文字部分分为：自述、绘画理论、艺术史、艺术随笔。

　　由于篇幅要求，无论是书画作品还是理论文章，只能选取各个时期最具代表性者。

　　本卷附录我在书画方面的资料。

目 录

附

绘

画

一九六四——一九七六

数间茅屋隐隐
扁舟寿高低入
杳冥诗料收来
随倦鸟夕阳残
瞄透疏槐

骥才八弟天资颖
异作画落笔
咸题冰纨三寿
也以所作扇题老
桷觅而生愧勉题
一绝以归之
梦松老人若青

骥才此作简练遒劲
笔少意厚佳制不
一九六四年八月
惠崇同题

山居暮归图 | 32×25cm | 1964

仿宋人小品《山居图》 ｜ 22 × 29cm ｜ 1972

仿宋人小品《荷亭消夏图》 ｜ 22×29cm ｜ 1972

仿宋·贾师古《岩关古寺图》 | 22×29cm | 1972

仿宋人小品《舟船图》 | 22×29cm | 1973

仿宋人小品《江天雪居》 ｜ 22×29cm ｜ 1972

摹宋·张择端《清明上河图》 | 25×250cm | 1972

摹《清明上河图》局部

一九七〇—一九七八

泰山南天门群峰 ｜ 20×29cm ｜ 1963

云步桥一带 ｜ 13×22cm ｜ 1976

朝阳洞 ｜ 13×11cm ｜ 1976

朝阳旧园
76.4.21.

欢喜地下 | 13×11cm | 1976

欢喜地下
76.4.20

朝阳洞仰望 | 35×27cm | 1975

《朝阳洞仰望》题记 | 28.5×23cm | 2013

朝阳洞位居五大夫松（之）上天然一洞洞中有佛上山朝香
者途经此必入内烧香朝拜洞前为深谷自下仰望山岩层叠林
木掩映水声潺潺知是山泉不见流水更觉深幽由是画之
癸巳题旧稿

朝陽洞位居五大夫松上天然
一洞洞中有佛上山朝書者途
經此必入內燒書朝拜洞前
有深谷自下仰望山崖層層
林木掩映水聲潺潺乃是山泉
不見流如實覺深幽由是知之
癸巳題舊稿

回马岭上 | 35×27cm | 1976

《回马岭上》题记 | 28.5×23cm | 2013

自回马岭而上渐入山腹路径婉转曲折木叶葱茏鸟唱不绝清
凉林气阵阵如风而至此声此气何以画之不过藏于笔墨间罢
了君若有所感乃吾之幸也

心居主人

自迴處嶺而上漸入山腹
路徑婉轉曲折木景蒸籠
鳥鳴以絕清涼林氣陰如風
而至此聲此氣何以遇之不過
藏於筆墨間豈了君苟有所
感乃吾之幸也　山樵主人

由中天门至五松亭 | 35×27cm | 1976

《由中天门至五松亭》题记 | 28.5×23cm | 2013

由中天门上五松亭山路如折尺左尽而右右复向左曲折不已路
皆石磴必使膝力举步为（维）艰也然山景开阔远山近岩重重
叠叠如画一般变换不绝处处诱我展纸图之此一段路作画甚多
此为其一乃是白描手稿也
癸巳岁闲 题于心居

由申天門上五松亭山路如斯尺
左畫而右石復向左曲折不已路
皆石磴必使膝力舉步為勞也
紙此系間閣遠山近巖重重疊
疊如色般變換不絕處二諸峩
展紙圖之此一般路作畫最多也
為其一乃言白描半稿也
癸巳藏園題于心居　賓虹

山风 | 35 × 27cm | 1976

朝陽洞寫生
石頂出嵐

《山风》题记 | 28.5×23cm | 2013

一日山间写生大风忽起云烟飞驰林木尽摇其声如潮其势夺
人原来大山亦有性情
题于心居

一日山间写生大悟忽

老云烟飞发林木画

摘其声如潮其发夺

人原来入山亦有性情

题于心居

劫后残庙 | 35×27cm | 1976

《劫后残庙》题记 | 28.5×23cm | 2013

一日登山由小径斜入石乱木杂诱我心生探险寻幽之兴致于是翻山越谷
忽见此小庙门紧锁无匾额逾墙入内空寥无人殿中神佛俱（倾毁）慨缘
自文革初之所为然院内古木参天垂藤若帘残照西来光影婆娑别（有）
一番苍凉画境由是图之

一日登山由小徑斜入石隙木難
請跋心生探險尋幽之興致于是翻
山越谷忽見此小廟以紫鎖堂扉扁
額逾墻入內空寥無人殿中禪佛
俱憬緣自又華棟之所為然院內古
木參天重藤若蘿殘照西來光影
婆娑別一番蒼凉畫境由是圖之

爰

中天门 | 35×27cm | 1976

《中天门》题记 | 28.5×23cm | 2013

昔日登岱进一天门如出世外过南天门如到天外入中天门乃游仙境也高
山流水奇峰怪木钟鸣水响花开鸟唱美妙之极也这般情境只有在昔日画
中寻了

昔日登岱進一天門如出

世外過南天門如到天外

入中天川乃遊仙境也高山

流水奇峰怪木鐘鳴水響

花開鳥唱美妙之極也遠殿

情境以有在昔日岱中尋了

庚午
記之

百丈泉 ｜ 27×35cm ｜ 1975

山间茶肆 | 61×44cm | 1983

旧街 | 27×35cm | 1971

夜泊 ｜ 30×28cm ｜ 1975

北山双鸟图 | 70×27cm | 1972

南山有双鸟 风雪老梅间 日日
竟不知天寒

孤寒 ｜ 40×91cm ｜ 1976

忧伤 | 18×23cm | 1970

此余文革期间所畫 个中
悲情猶能感到 難干

冷雨 | 15×7cm | 1968

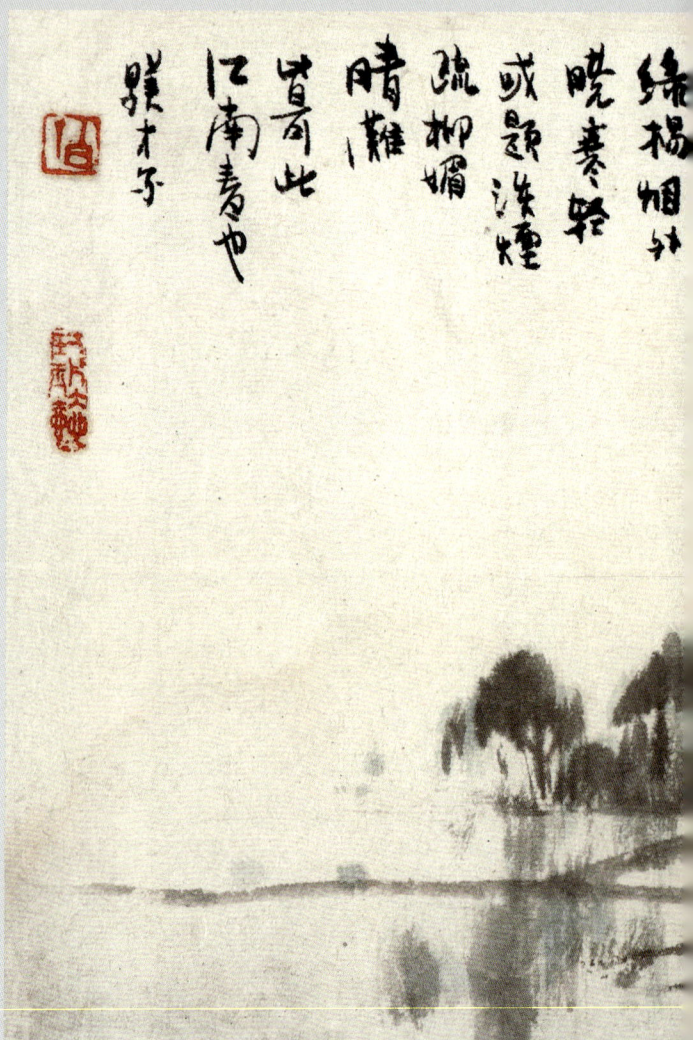

忆江南 ｜ 28×52cm ｜ 1975

余生于津川
祖籍都住泡
浙江漾中有
江南之细緻清
新以及空靈
氣質下筆
時不覺間流
露出来我許
多殘書盈首
是如此也
其作便是這般
所畫時有在上世

一九九〇一二〇〇〇

照透生命 ｜ 68×68cm ｜ 1994

树后边是太阳 | 68×104cm | 1991

穿破云层 | 96 × 89cm | 1992

老门 | 93×65cm | 1990

柴門

余在太行山見此物頗有所感慨
及人生況味遂誌於紙庚午耀牛

往事 ｜ 89×96cm ｜ 1992

老夫老妻 | 96×89cm | 1991

小溪的谐奏 | 89×96cm | 1992

通往你的路 | 89×96cm | 1992

黄昏都是诗 | 89×96cm | 1992

柔情 | 120×123cm | 1991

薄冥 ｜ 68×68cm ｜ 1994

秋天的礼物 | 89×96cm | 1992

思绪的层次 ｜ 89×96cm ｜ 1991

秋之苦 ｜ 89×96cm ｜ 1991

野秋民川
際漫是豈是
遠雄然味
廣了半運
尾流思為
三綜畫
半月
□手

静寂 ｜ 96×89cm ｜ 1994

悠长的钟声 | 64×68cm | 1990

春天 | 33×48cm | 1995

步入金黄 | 68×68cm | 1994

二〇〇一

雄风　|　77×108cm　|　2009

垂柳 | 44×52cm | 2007

春城无处不飞花 | 44×52cm | 2008

思绪如烟 ｜ 44×52cm ｜ 2009

冬日的诗 | 54×78cm | 2007

冬日的詩並非沉寂那是等待遙遠的春天
丁亥天雪之後海于張手

山溪情切切 | 44×52cm | 2008

大地的野花 | 44×52cm | 2007

记忆中的一条山路 ｜ 44×52cm ｜ 2007

黎明诗句 | 54×78cm | 2007

解冻 | 44×52cm | 2008

春天是从冰雪的山谷
裹流出来的
耀宇

霞光 | 54×78cm | 2009

三月 ｜ 44×52cm ｜ 2007

不言 | 34×59cm | 2007

晚秋 | 34×59cm | 2007

破晓 ｜ 54×78cm ｜ 2009

村口 | 44×52cm | 2008

余生庄泽鸿環城皆水自来多见水光
舟影野鸟飞翔落筆皆是憶舊冀才

野泊 | 34×75cm | 2008

鸟儿们的会客间 | 34×59cm | 2007

雪夜 | 54×78cm | 2007

云起时 ｜ 44×52cm ｜ 2007

日光如雨洒下来 ｜ 44×52cm ｜ 2009

雨后 | 44×52cm | 2007

金色池塘 ｜ 44×52cm ｜ 2009

粉墙上
剥落斑
斑却是
江南水乡
发尽的
诗篇
戊子阳月
八月廿七大
言曰 骥才

粉墙 | 34×59cm | 2008

秋苇如花 | 44×52cm | 2007

昨如
忽是
夢圖
葦戊
塘子
真馮
美驥
才

梦境 | 34×75cm | 2008

深巷 | 52×44cm | 2010

家鄉迷濛如夢了且向故里源巷尋
庚寅忽念浙東風物而寫之 葉子

春来了 | 44×52cm | 2007

等待 | 44×52cm | 2009

雄劲 | 44×52cm | 2007

夕阳别样情 | 44×52cm | 2008

夕陽如揉媚
戊子 驟丰

雪地上的阳光 | 52×44cm | 2011

冬日的阳光

秋叶胜于花 ｜ 44×52cm ｜ 2007

行舟 | 134×78cm | 2010

神思泉涌 | 78×54cm | 2010

寻觅 | 44×52cm | 2004

月光曲 | 75 × 34cm | 2010

心居图（局部之一）｜ 30×1000cm ｜ 2010

心居图（局部之二） | 30×1000cm | 2010

太行夕照 | 89×85cm | 2013

小树林换了季节 | 34×59cm | 2007

诗人说秋天是神来日华递的其
卖不完的秋天
是常着棉袄的梦赞
进大雪
厚厚的
棉被
下边
然後在
春天醒
夏天
成长
再然後
又是自

倾泻 | 78×54cm | 2013

此種境界操我自難
癸巳仲夏爰

云过 ｜ 44×52cm ｜ 2008

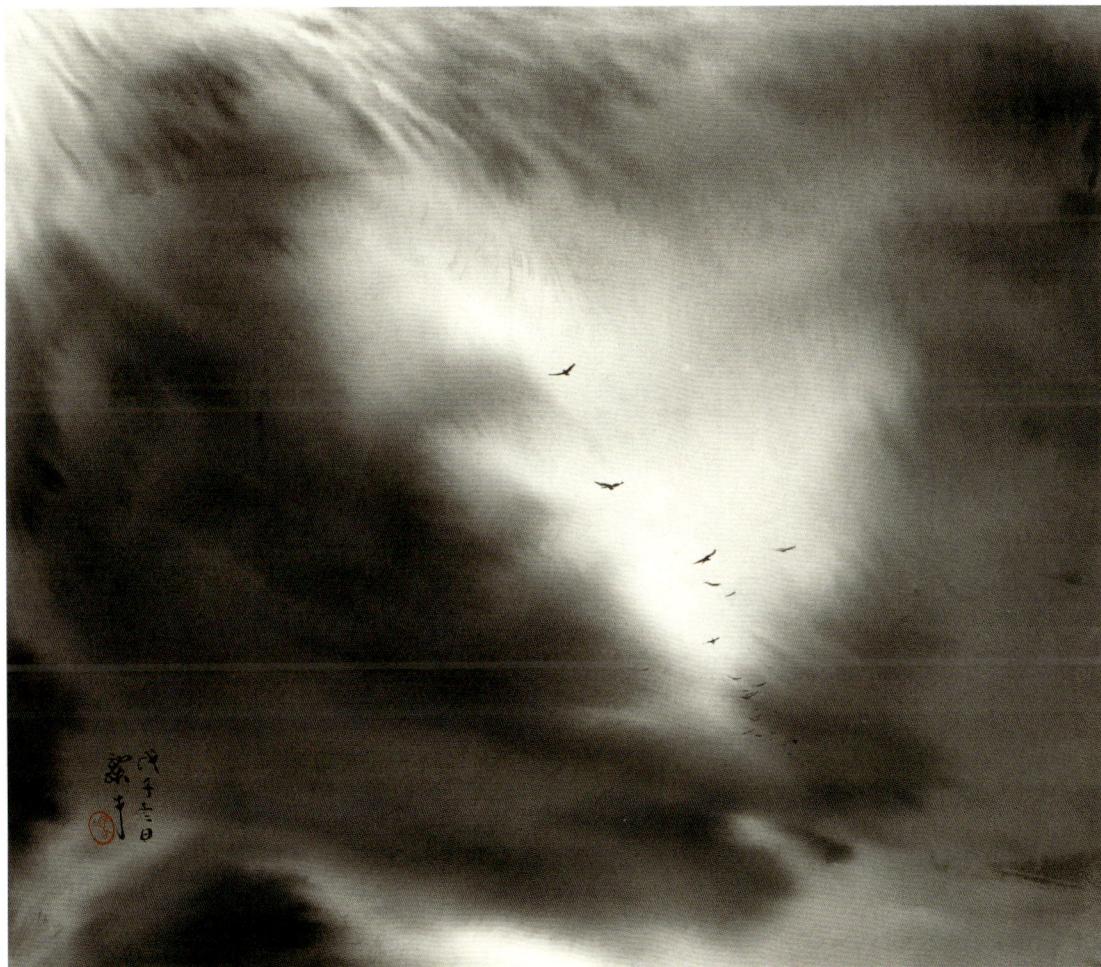

阳光顺坡而下 ｜ 34×75cm ｜ 2007

月照我心 | 54×78cm | 2014

夕时晴 | 54×78cm | 2013

雪村 | 44×52cm | 2008

最深切的人间温暖是冰天
雪地中的橙光　戊子　静芝

偏向寂寞寻清幽 | 54×78cm | 2014

乘风而起 | 34×59cm | 2009

树影躺下 | 44×52cm | 2008

海鸟 ｜ 44×52cm ｜ 2007

珍藏四季（局部之一） | 40×1000cm | 2010

珍藏四季（局部之二） | 40 × 1000cm | 2010

珍藏四季（局部之三）｜ 40×1000cm ｜ 2010

珍藏四季（局部之四）│ 40 × 1000cm │ 2010

华灯初上 | 54×78cm | 2014

放晴 | 54×78cm | 2013

泊心之地 ｜ 54×78cm ｜ 2014

秋天的颜色 ｜ 44×52cm ｜ 2013

秋日的絮语 | 54×78cm | 2013

书法

泰山颂 ｜ 27×24cm ｜ 2014

岱宗立天地，由来万古尊。
称雄不称霸，乃我中华魂。
去岁颂泰山诗 甲午

岱宗立天地
由来万古尊
称雄不胜霸
乃我中华魂

人仁忍韧 | 68×68cm | 2011

人仁忍韧
辛卯春日

人仁

忍

艳

丁亥生日诗 | 65×134cm | 2012

丁亥岁生日诗
大雪落双肩，天寒人未寒。
竹姿老愈劲，梅容冻更鲜。
壬辰书旧作

丁亥歲生日詩

人雪落

雙肩天寒

人東寒

山水解 | 30×43cm | 2008

山性乃人性，云语皆可听。
流水情最切，谁解我心声。
题画

山性人性雲語好聽流水情最切難解我心聲

观陆树娴大师绣作 | 68×51cm | 2014

画坛自古扬州胜，今有奇人绣丹青。
七彩神丝一针舞，十指通灵万象生。
观陆树娴大师绣作

舞壇自古揚叶勝今有

奇人緣廿岁人影神丝

一剑舞十指通台万象生

观陆树闲大师绕作戟手

咏易水砚 | 51×68cm | 2014

灵石美如玉，不肯饰丽人。
凿砚生翰墨，千古留精魂。
甲午咏易水砚

画石美如玉，不肯饰丽人妆。砚士渐墨，千古当精魂。

甲午冰雪初霁

秋帆过眼 | 24×14.5cm | 2012

秋风又吹江边树，年年都动我情怀。
诸事如船眼前过，何人乘舟明日来。
辛卯春分作画题此诗壬辰仲夏日

秋風又吹江邊樹，都

動我情懷諸多如船眼

前道何人乘舟归去來日

辛卯春分作因題此詩

壬辰仲夏日　馮驥才

渐成绿荫棚架每有风至花叶
婆婆光影闪动生意盈然天地
一角造化灵气到我身边这便故
藤椅于其间手执闲书亦看亦不看看时品赏诗文不看时亦受自然
眉时品赏诗文不看时享受自然
这般生活若神仙需用多少钱
财神仙不花钱心归天地间
俗世无俗念即是活神仙
仲夏一日随笔而书
骥才

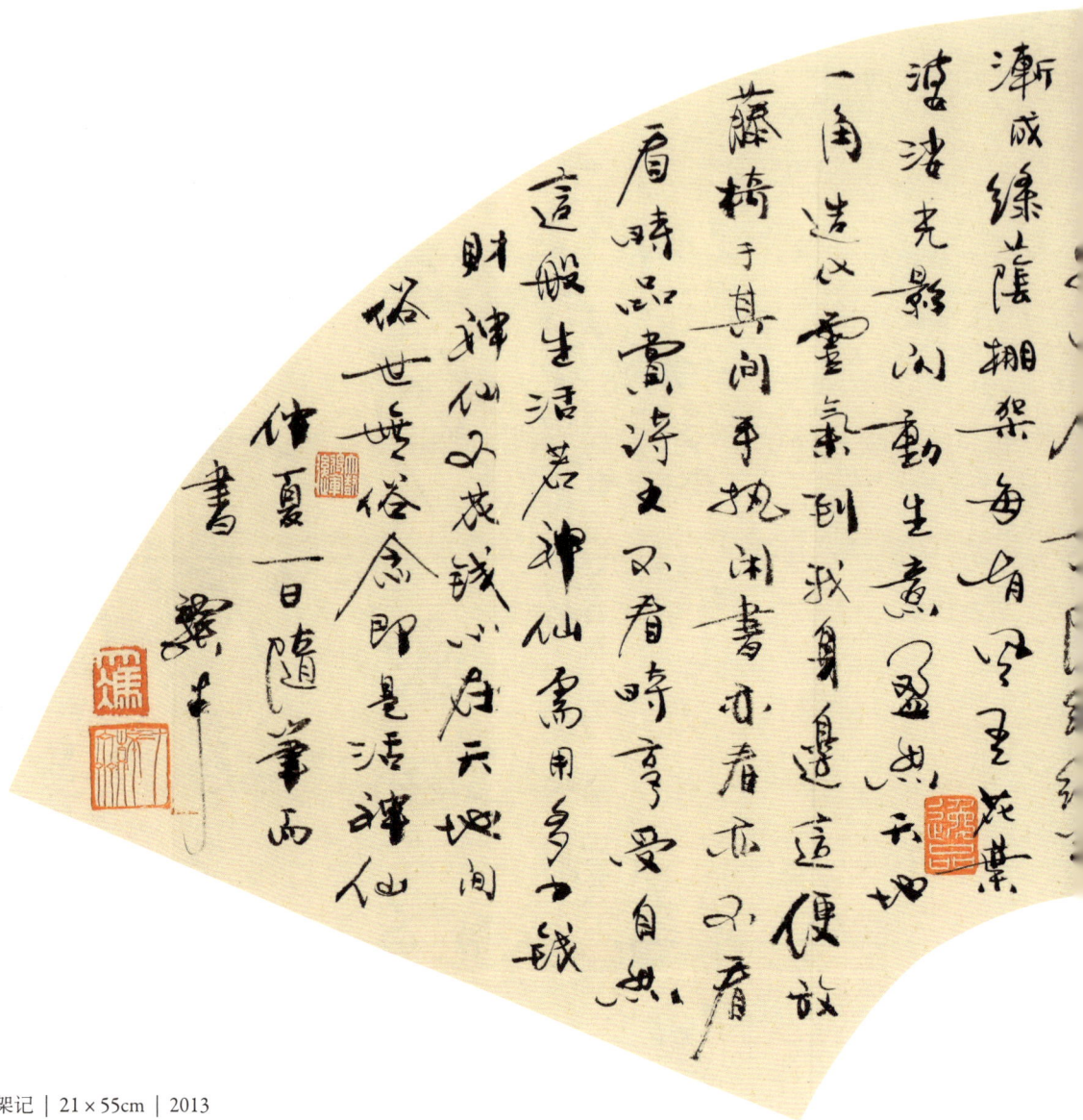

阳台花架记 | 21×55cm | 2013

癸巳

清明后于阳台上置木桶数只内盛沃土草肥埋各类草籽花种我有闲情天
有好心随即降下小雨渐沥沥代我淋浇转而放晴日照时雨时晴不日便
喜见嫩芽破土青翠可爱继之拔茎生叶藤蔓之类已现攀绕之态于是以细
杆紫竹及麻线丝绳架成棚架这些亲手栽种之物皆会我意随绳缘杆渐成
绿荫棚架每有风至花叶婆娑光影闪动生意盈然天地一角造化灵气到我
身边这便放藤椅于其间手执闲书亦看亦不看看时品赏诗画不看时享受
自然这般生活若神仙需用多少钱财神仙不花钱心在天地间俗世无俗念
即是活神仙
仲夏一日随笔而书

清明後于
陽台上置木桶數
只內盛沃土莖肥埋之
顆葶好花種我有閒情
天有好心隨即降下小雨淅瀝
代我淋澆轉雨放晴日照時雨時晴
不日便喜見嫩芽破土青翠可愛
繼之拔薑出葉藤蔓之顆之現
攀繞之态于是心細尝紫館及
蘇泉丝毛吴戌用呆
癸已

古联 | 20 × 9.5cm | 2006

司马文章辋川画，右军书法少陵诗。
我书斋之古联

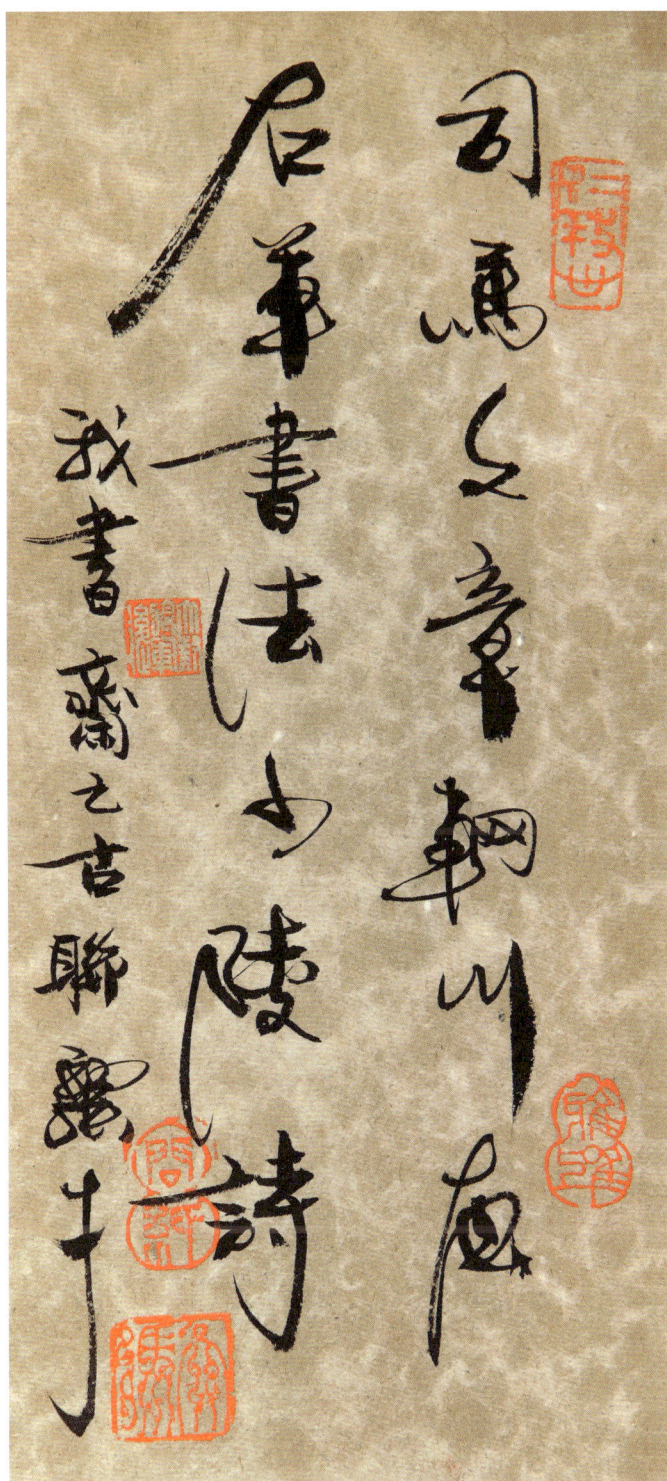

司馬之章 軸山風

启華書法 古陵詩

我書齋之古聯

普陀山 | 24×15cm | 2000

天地一朵莲，就是普陀山。
观音花上坐，四海皆安然。
庚辰诗唱普陀并书十三不靠斋

所地一朵蓮就是善陀
山觀音在此四海
皆如然

庚辰詩唱普陀所書

十三不謙齋馮驥才

春意 ｜ 21.5×21.5cm ｜ 2011

欲借春风扫我心，清晨推窗鸟相亲。
桃红层层分远近，石径才见绿苔痕。
辛卯

欣借春
風揚我心清晨
佳窗鳥相親如紅
層層遠近石徑平
見綠苔痕
辛卯 蕭平

佚名《牧牛图》题记 | 14×20.5cm

（诗堂） | 2012

余年轻时习画始于临摹宋人山水后继以仿古为生由是获知明清来专事
摹古者江南首推苏州俗称苏州片子江北当雄于京都北海后门一带世所
谓后门道其中高手技艺高超往往真假难辨此作为其上乘仿品笔法清雅
应是苏州货放牧题材宋人李迪之擅长也此为清早期仿品

壬辰年仲夏

余年輕時習畫始于臨摹
京人山水後繼以仿古為主
由是菲和明清來專多摹
古香泛南首推蘇州俗稱
蘇州片子泛此當雄于京郡
北海後以帝毋師謂後门道
其中高手技觀高超往往
真假難辨以作為其上乘
仿品筆法清雅應是蘇州
貧放牧題材宋人李迪之擅
長此此為清早期仿品
于辰年仲夏 戴才識

日日常鸣唤何人 | 29×23cm | 2013

日日常鸣唤何人,昨晚挥笔今晨看,竟有清风过夜来。
癸巳仲夏日再题

昨晚揮筆今晨看竟有清風過庭來

癸巳仲夏日再題

日日聲鳴喚何人
劉子

宋人笔法 | 20.5 × 34cm | 2009

宋人笔法昔日常用今因怀旧偶作也

王成喜画梅歌 ｜ 40×25cm ｜ 2007

君擅作梅树，千花万花美。
我偏索一朵，看君何以对。
枝身形似舞，花面红如醉。
笔少意无穷，物独自珍贵。
成喜画梅歌

看君作梅樹千花萬花
羞我偏索一朵

看君何心對枝身影似
舞花面紅如醉筆生意
萬家物獨自珍貴
戊寅喜庵梅歌　爰千

再入故乡 ｜ 26.5×15cm ｜ 2002

壬午再回甬前
昔日入故里，乡情撞满怀。
十年成一梦，千里再归来。

昔日入故里鄉情

墻滿懷十年內

一夢千里再歸來

送暑 | 24×14cm | 2012

昨夜举茶送暑去，南窗犹晒怨秋迟。
大雁有情人字过，只待金风惹新诗。
壬辰处暑日随性书去岁之作

昨夜舉茶遞署去南窗

猶晒然秋虛火雁有情人

字遇八待金云意新詩

壬辰處暑日隨姓書去歲之作

清緣干

岁月歌 ｜ 21.5×21.5cm ｜ 2013

岁月何其速，哎呀又一年。
花叶全无迹，存世唯诗篇。
年末又唱岁月歌癸巳冬月于沽上心居

歲月何真速苦心又一年庶業全無跡存世佳詩篇

年末又唱歲月那　癸巳冬月子

海上心居　舞手

书法 | 259

歲月何真速苦心又一年庶業全無跡存世佳詩篇

年末又唱歲月那　癸巳冬月子

海上心居　舞手

杏花村咏汾酒 | 13×20cm | 2014

甲午初夏咏汾酒
好酒原是消魂液，不管帝王抑平民。
九州谁家醉如梦，千古都指杏花村。

甲午初夏味沙酒

好酒原是清
魂消又醉眼
常是鄉平民
九州誰家醉如夢
千古都指李花村
心居主人 髯千

游桃花堤 | 28.5×17.5cm | 2010

津门桃花堤昔时游赏所作
谁人手执桃红笔，点染长堤处处春。
我问清风风不语，携香吹入万家门。

津門桃花堤昔時遊賞所作

誰人手執桃紅畫

黯染春堤處處春

試問清風雪不語

攜香水入萬家門

自抄《画飞瀑记》首段文字 | 30×21cm | 2014

心居闲时自抄诗文亦乐事也

这日忽有莫名豪情骤至画兴随之勃发展纸于案但觉纸短便扯过一幅八
尺素白宣纸换上伸手由笔筒中取一支长管大笔此刻心中虽无任何形象
激荡之情已涌到笔端笔头随即颤抖起来转而一捅砚心墨滴四溅点点落
到皎白纸面也全然不顾然手中之笔不听任于手惊鸟般陡地跳入水盂
一汪清水便被这墨笔扰得如乌云般翻滚涌动眼前纸面恍若疾风吹过云
皆横态大江奔去浪做斜姿奔泻的笔墨随这幻象一同呈现了

此余散文画飞瀑记之首段文字 甲午

心庵閑時自抄詩文求樂事也

過一幅八尺素
取一支長毫
好像激蕩之

書共隨之動

遠日忽有真名豪情驟至
發展紙于桌但覺紙態便此
白宣紙換上伸手由筆筒中
大筆此刻心中雖無任何
情之湧起筆端筆頭隨即顫抖
墨滴四濺點點落滿別皎白紙面也全然不顧然手中之筆之不
聽任于手驚鳥般陸地跳入水盂一汪清水好便被這墨筆攪得
如烏雲般翻滾涌動眼前紙面
橫而大氣浪做斜安席滿的筆墨隨這幻象一同呈現了

起來轉而一陣硯心
恍若疾風吹過雲昏

此余散文書飛瀑記之首段文字 甲午 鷺手

座右铭 ｜ 22.5×5cm ｜ 2013

外敛内张
我又一座右铭也
癸巳初秋

外飾内強

我又一座右銘也
癸巳初秋
心居露手

神来之笔 ｜ 36×7.5cm ｜ 2013

万般思绪百挥不去，一呼即来十足精神。
癸巳岁末书于心居

萬般思緒百難忘
一峰即是十峰精神

癸亥歲木書于心庐
延上寿千

义和团歌谣 | 28.5×18.5cm | 2005

义和神拳总是拼，旋身迈步逞英雄。
一生能做百生事，树鸟只能（听）一分。
此津门义和团歌谣我甚喜之书以记之

義和神拳总是辞
旋身邁步是英雄一生
能做百生事樹鳥只能
一鸣 此津門義和團歌謠
戰惹喜之書以記之

心居自述 | 28.5 × 17.5cm | 2012

吾之画斋非吾写作之室乃心灵之居所也有门有窗有椅有床
有光有影有天有地居其中心头松情放纵思无涯因自号心居
壬辰

吾之書齋非感寫作之室乃
心靈之居所也有似月窗有椅
有床有几有影有天有地
居其中心頭松情放縱恩無涯
因自號心居
壬辰 韓士

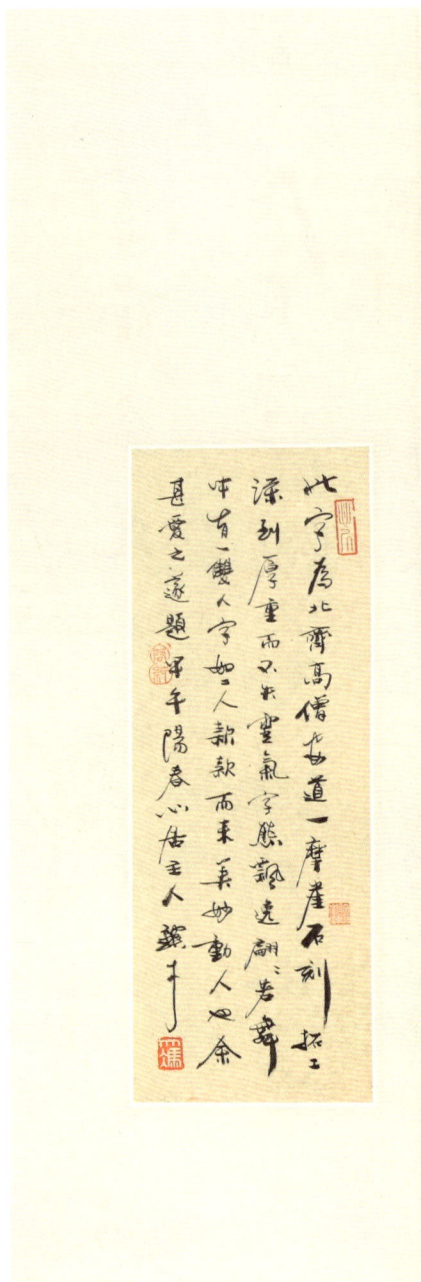

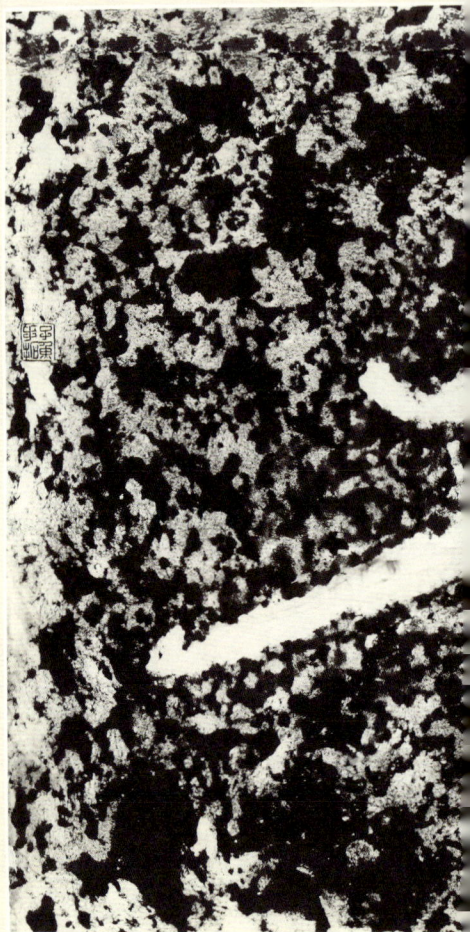

北齐安道一书法拓片题记 | 12.5×32.5cm | 2014

北齐安道一摩崖石刻
此字为北齐高僧安道一摩崖石刻拓工深到厚重而不失灵气字态飘逸翩
翩若舞中有一双人字如二人款款而来美妙动人也余甚爱之遂题
甲午阳春心居主人

小鸟落竹中 | 21.5 × 21.5cm | 2010

小鸟落竹中，不啼亦有声。
侧耳四下寻，原（缘）故是微风。
二零一零年一月二日随笔

小鳥清吟中

不鳴亦有聲側耳四下尋

原放是微風

二零零年一月一日隨筆

古人节庆诗两首 | 27.5×17cm | 2013

古人节庆诗中两首深记我心今试之默写
一为宋人宫人所作无名氏也诗名清明曰：
他皆携酒寻芳去，我且关门独自眠。
惟（唯）有杨花似相觅，因风时复到床前。
另一为清代画家王梦白所吟除夕曰：
客况清平意自闲，生来淡泊亦神仙。
山中除夕无他物，有了梅花便过年。
情致皆深且浓也

古人節慶詩中兩首深記殘心今試之歟

宮一為京人宮人所作始名民也詩名清明

日此皆攜酒尋芳去我且閑八獨自眠惟有

楊花似相覓閑風時復到床前另一為清

代角家王夢白所吟除夕日宮況清平意

自閑生來求薄衣神仙此中除夕黄伯姑

有了梅花便過年情水昔深書事濃

雅量 ｜ 35 × 36cm ｜ 2012

壬辰岁
雅量

雅量

壬辰藏

大鴻書

吾乡五月 | 28.5 × 18.5cm | 1996

地树无风天云动，江浪不起舟自行。
君索吾乡春五月，些须（许）淡墨化水中。
丙子题画记下

地樹岩雲禾雲動江
浪舟老舟自川鹿索吾
鄉香五月些須淡墨化
如中

壬子題唐詩下
蔡王

题扇诗又书 | 21×14cm | 2012

清风无形物，何以爽我怀。
凡事不求解，摇起小扇来。
壬辰仲夏

访察长治古村谢家大院有感 | 26×18cm | 2012

古村哀鸣，我闻其声。
巨木将倾，谁还其生？
快快救之，我呼谁应？
壬辰清明自豫至晋察看古村落行至长治谢家大院有感

古村哀鳴殘聞其聲
巨木將傾誰還真主
快快救之載呼誰應

壬辰清明自豫至晋察看古村落行
至長治謝家大院有感

画论·艺术随笔

文人画说

一次画展上，一位年轻的观者问我："你的画是文人画吗？文人画和中国画有什么不同？"

我笑道："文人画就是中国画。"

谁料他又把话倒过来，问我："中国画是文人画吗？"

把话倒过来，往往就换成另一个问题。这年轻人很善于思辨。

我说："不可以这么说，也可以这么说。"

这话好似绕口令。

他听罢感到不解。我想解释给他，但又不是三言两语说得明白，只能做如是说。

文人画是中国绘画独有的概念。文人是有主见的人，故而自文人画崛起之日，各种艺术主张的旗号便高高擎起；而后历时千年，更是充满着自我的思想思辨和相互的理论争辩。由王维、苏轼、米芾、赵孟頫、倪瓒、吴镇，及至董其昌、郑燮、齐白石等这些中国艺术史上巨型的精英，全都裹入其中。可以说文人画的历史就是中国绘画艺术的思想史与批评史。

文人画又为中国绘画创造了独特的文化形态。从个性化和心灵化的人本，到诗书画印一体的高雅的文本，使文人画具有纯正的经典的东方气质、东方意蕴和东方美，以致一般西方人把文人画当做中国绘画的本身乃至全部。

然而，文人画自它诞生之日，却一直陷入各种歧见和认识的误区里。从初期被贬斥为消散简陋的隶家画，直到近世又被视做旧文人的笔墨游戏，文人画似与我们相隔甚远，间有重幛，晦涩不明。幸好在今日，那些人为地甚至政治化地涂上去的种种历史污垢正在被拭去，理论界开始重新识别它的面目了。由此我们发现，重新认识文人画，竟是重新认识中国画！

对于上述这些历史的思辨，我尽在书中表达出来。此外，便是我本人的绘画观。我对绘画的思考一直没有离开过对文人画传统的反思。对于传统的文人画，我继承哪些，摒弃哪些；哪些应视为至圣之本之源，哪些被我反其道而用之。在本书中，我都一一从细道来。

我自认为，我的绘画之路是重返文人画传统的路。我所说的传统，绝不是历史的、滞固了的形态，而是一种精魄与神髓，一种活着的思维，一种真理性的艺术主张，一种可供神游和再创的博大的空间。

这里之所以用"文人画宣言"作为书名，是因为从苏轼到陈衡恪，文人画一直在"宣言"，在自我申辩。至于他们为何这样，我又因何这般，道理尽在书中是也。

是为序。

二〇〇七年四月

一九六二年与两位画友在蓟县盘山写生时，在峰顶云罩寺前留影。

文人画问答

时间：二〇〇五年年尾

地点：大树画馆问湖轩（天津大学冯骥才文学艺术研究院四楼）

问话人：安先生是冯骥才的朋友，文中略为"安"。

答话人：冯骥才，略为"冯"。

一、关于文人画史的思辨

安：开门见山，今天与你谈文人画。现在从美术界到社会都说你的画是"文人画"。我没从任何地方看到你对这个称谓的拒绝，看来你欣然接受了。那么你今天遭遇的第一个问题是——什么人算得上文人，文人是一个历史概念吗？

冯：是的，是特定历史形成的概念。在古代，识字的人很少，一个村庄有一个文人就是宝贝。这些文人为乡亲们代读书信，代写讼状，书写春联，干那些人们不会干、平时也用不着干的事；他们平日的生活不是耕地而是读书，吟诗作画，舞文弄墨；中举人中状元的事只会出在这群人之中，他们内心的东西也与凡人不同。文人是独立在公众之外一群小小的另类。但这种状况到了近代就发生改变。随着近代教育的普及与发展，古代这种特定含义的文人已经不存在了。

安：那你为什么还要重提文人画的概念？是不是一种自我标榜？

冯：文人画不等同于文人的画。文人画又是另一个特定的历史概念，也是一个特定的艺术概念，甚至还是一种特定的审美形态。我提文人画是因为当初文人登入画坛时给绘画带来的那些至关重要的东西在近代绘画中渐渐消退。

安：你认为中国画史和西洋画史一样，也是先有无名的画工，后出现精英型的画家？

冯：准确地说，先是大批无名的画工，继而是有名有姓的画师，然后是精英型画家的出现。从历史看，无名的画工已经是职业化的了。最早见诸于记载的画工是在秦汉时期。他们主要是为寺庙画壁画，但是谁也不知道他们的姓名，就和其他工匠（石匠、泥匠、木匠）一样。后来个别的画工技艺高超，有名有姓的人物便冒出头来。开始统称为画工，随后对其中的高手称画手，到后来把最优秀的画手尊称为画师。渐渐的，在史籍中已经偶然可以看到他们的姓名。到了晋唐时代，一些人的画艺不但精妙绝伦，而且形成个人风格。比如"张家样""曹家样""吴家样"或"曹衣出水，吴带当风"；个人风格的出现，并不意味着画家的诞生。这个过程在西洋画史也完全一致。从古希腊和罗马的神庙的壁画，一直到达·芬奇和米开朗基罗的出现，也是这样。有一点需要说明——这个阶段的中国画坛上还没有文人的角色。

安：甭说文人，就是声名赫赫的大师比如吴道子和周昉在画面上仍然不题写自己的姓名。

冯：画工们极少在画上写自己的姓名。最早他们画寺庙的壁画时，是为宗教"做工"，不能把自己表现出来。后来他们进入皇家画院，又为宫廷"做工"，仍然没有出头露面的份儿。像刚刚你说的周昉、吴道子，还有那些"光照千古"的画师阎立本、曹霸、韩干、张萱、边鸾等，也都是画工出身，决不能在画面上明目张胆地写上自己的姓名，这种状况一直到两宋，如范宽、马远这样的大师，也只是把自己的姓名悄悄写在石缝和树隙中，俗称"藏款"。这说明画师在人格上还不独立。他们隶属宫廷画院，为皇家服务，不能表现自己。这种状况到了文人画一出现立即就发生变化。

安：文人画是唐代出现的吗？你认为王维是文人画的鼻祖吗？

冯：在文人登上画坛之前，文学已经进入绘画了。

安：你这观点很新奇。文学性不是文人画最重要的特征吗？王维不是主张"诗是无形画，画是有形诗"吗？你的话是不有点自相矛盾？

冯：文学性是文人画的重要特征——从这点说，王维应被视作文人画的鼻祖。因为他提出的"诗画一体"，有力地推动了绘画内涵的文学化（诗化）。到了宋代，宫廷画院考聘画师时便以诗句为画题，比如"踏花归来马蹄香""万翠丛中一点红"等，这都是大家知道的事情。宫廷画家的作品追求诗的意境，比如宋人小品那些画面，几乎全是可视的诗句。但主宰画坛的并非文人，而是技术型的院体派画家。

安：院体派画家不是文人吗？

冯：有的人文化修养很好，但他们是专职的画师，进了画院靠俸禄吃饭，所画的画儿供皇帝玩赏，不能有个性与心灵的表现。他们把诗放进绘画的情境里，为了使画面更具深层的魅力和欣赏价值。这不是文人画。郭熙便是一个极好的例子。郭熙在《林泉高致集》中说自己遍阅"晋唐古今诗什"。他修养极好，又有理论自觉。但他的画仍不是文人画。

安：为什么？

冯：他深受皇帝赏识，竭力以画事君。这在郭熙儿子郭思的《画记》中有很多记载。他提出的山水要可以"步入、举望、游历、居住"，仍是在强调绘画的客观真实性和玩赏性，仍然没有绘画者本人独立的、个性的精神内容。

安：为什么文学比文人先进入绘画？没有文人，文学怎么进入绘画的？

冯：在唐代，中国画正在走向成熟；而文学（诗词散文）已经登峰造极。各种艺术门类之间如同人与人一样，成熟的一定要影响不成熟的，早成熟的一定影响晚成熟的。绘画自然要去追求和再现诗词的境界。文学便顺理成章地进入了绘画。然而我还想重复一句，最早用画笔去描绘诗的不是文人，而是技艺精湛、修养很好的院体派画家。在这里，郭熙仍是一个例子。郭思的《画记》中就开列出许多郭熙所酷爱的唐宋诗句。所以郭熙的画颇有诗意，比如《早春图》。

安：你如此赞扬院体派画家，使我很高兴。我很担心你在褒扬文人画的同时，贬损院体派绘画。

冯：为什么呢？我是学院体画起家的，我深知他们画技的高超。在上千年里，他们从寺庙的壁画到案上的绢画，从民间到宫廷，他们的技术经过千锤百炼，始终一脉相承，到了两宋已臻顶峰。崔白、李迪的花鸟，荆浩、范宽、刘松年、王希孟、郭熙与马远、夏圭的山水，张择端与李嵩的世俗风情，都把画技发挥到了极致。但是这种审美与技术在南宋，似乎走到了尽头。一种特定的审美总是属于一个历史时期的。特别是当这时期一批光照千古的大师把这种院体的审美和技术发挥得淋漓尽致时，这种审美形式便被耗尽了能量与魅力，只剩下套路化的技术程式和伟大而乏味的躯壳，艺术的历史也就该改朝换代了。

安：文人画一出来就改天换地了吧。

冯：是的，但文人画不是为了实现一种新的审美才登上画坛的。刚才我说了，唐宋一些院体画家有很好的文化修养，但他们的画却不是文人画。因为他们没有独立人格，他们的画不是自己心灵的表现。

安：文人画与院体画区分那么清晰吗？

冯：是的，泾渭分明。院体画是供人观赏的，文人画是本人性情直接的抒发；院体画从属于眼睛，文人画从属于心灵；院体画是唯美的，文人画是唯心的；院体画是技术的，文人画是心性的。我现在已经把文人画的本质表述出来。一句话，文人画是文人直抒胸臆的艺术。文人画的出现是文人的心灵要求。这种心灵的呼声在苏轼等人那里，已经能十分清楚地听到了。

安：你说得很明白，我同意你的说法。在苏轼许多文章中，都可以看到他对"意"的强调。意即"心""性"，这恐怕与宋代理学思想的盛行有关。比如他在《净因院画记》中对"常形"和"常理"的思辨。在《传神记》里说画家"要得其人之天，得其意思所在"。他还在《筼筜谷偃竹记》中说自己画竹"必先成竹于胸中"，待到画兴来了"急起从之，振笔直追其所见"。已表明他作画全凭一己的性情。

冯： 苏轼的好友米芾在谈苏轼画竹时说，他画竹从地面一直到顶不画节。米芾问他："何不逐节分？"苏轼答道："竹生时何尝逐节生？"还说苏轼喜画枯木怪石，其实都是他"胸中盘郁"。文同说："吾乃者学道未至，意有所不适而无所遣之，故一发于墨竹……"看来他们作画的对象——竹木怪石并不重要，排解郁结胸中的块垒才是最重要的。

安： 我读过南宋人郑刚一文论郑虔的画。他说郑虔"酒酣豪放，搜罗万象，驱入毫端，窥造化而见天性"。可惜今天已经无从看到郑虔的画了。

冯： 这些文字表明文人画的崛起首先是一种文人的绘画观和艺术思想的形成。他们对当时统治画坛的院体派是有挑战意味的。

安： 特别是苏轼那句"论画以形似，见与儿童邻"。

冯： 由这两句诗，这十个字，足以证明苏轼是文人画理论的先驱者。这两句影响太大了。他强调表达心性，反对形似至上，主张传神。传神很重要。对于文人，仅仅是"画中有诗"还不够，画中的诗意也可以是一种对象化的东西，就像院体画中诗的意境。神似却是一种全新的造型理论。

安： 你认为神似与形似的思辨始于苏轼吗？

冯： 关于形神的思辨来自于宗教，后来成为魏晋清谈玄辩的课题，再往后便被引入美学的造型艺术范畴，文人画之所以竭力强调神似，实际上是力图把自己个性从具象的束缚里解放出来。从苏轼反对"为形所累"到齐白石的"画在似与不似之间"，都是为文人画立说，为文人画辩解。在这数百年来不断的辩护中，中国画从客观走向主观，从有限到无限，从束缚到自由。苏轼的神似理论是最明确的，所以说他对中国画史具有颠覆与开创的意义。

安： 你刚刚说苏轼在为文人画辩解，这说明当时有很强的反对文人画的声音，是吗？

冯： 你的问题总提到"要节"上。从宋到元，士大夫们的文人画一直受到贬损。习惯了院体绘画的人们，看不惯这些笔墨松散、似是而非、过于简略的绘画。在晋唐以来数百年的绘画史中，院体派绘画已经确立了一套严谨又严格的审美标准，不论绘画者还是欣赏者都持着这个标准，文人画的审美标准尚未确立起来。艺术形态也没有确定。所以，人们斥责这种新生的、近似于游戏的"墨戏"。斥责文人画不过是一种随意而为之的另类，一种士大夫们"业余"水平的"隶家画"。在这个背景下，我们会更深刻地认识到苏轼思想理论的非凡作用。

安：新冒出来的文人画有没有一种文人独特的审美？

冯：克制"形"的约束而放纵"神"的艺术，一定要抛开院体派那一整套既成的技术系统与程序。反对制作性。制作有明确的目的。所以最早能表现文人画艺术特征的是米芾的"墨戏"。墨戏具有很强的偶然性，是一种十分新鲜的艺术审美。其次它是违反人们审美习惯的，就一定面临攻击，就像西方的印象派。

安：说到墨戏，我想到你说过的一句话，偶然性就是绘画性，必然性是工艺性。

冯：是的。米芾的文人墨戏给中国画带来无限的绘画性。它充满偶然，引发无穷的可能与灵感。它鲜明地表现出文人画的审美特征与艺术特征。此外还有一个值得重视的绘画形态的出现，就是梁楷的泼墨大写意。泼墨对于工整的院体画来说也是一种解放。或者说梁楷也在松动两宋以来院体画的一统天下。

安：谈到这里，就有一个很重要的问题冒出来了。尽管苏轼、文同、米芾几位文人画家带来一股画坛新风，为什么直到宋末还是院体画派称雄，而一进入元代，文人画就成了主流？

冯：实际上文人画进入元代并没有马上进入主流，这期间，一个重要的人物是赵孟頫。

安：赵孟頫精诗词，通音律，善于鉴别古器，书法上真草隶篆无所不能。画技又十分高超，他应该支持文人画。

冯：事实上赵孟頫是个艺术立场模糊不明，思想理论十分混乱的人。他反对南宋院画，但提倡晋唐画师笔下的古意；他贬抑士大夫们无章可循的墨戏，斥为粗俗与荒率；自己的《秀石疏林图》却明显离开院画，紧贴当时文人画的审美时尚。还创造性地将文人书法融入其中。赵孟頫是院画功底很深、技术高超的画家，在审美上他不可能完全脱离院画；他是一个很地道的文人。但作为宋室后裔，又例外地得到元朝皇廷的赏识，做到一品高官，他不理解失去仕途的文人们借笔墨排遣性情的文人画，所以他是文人画强有力的反对者。更重要的是在中国绘画由院画向文人画的转型期，他是一位中间人物。新旧两种东西都会在身上得到反映，并激烈地冲突着。他发表了关于当时绘画的大量的思辨性的言论，言论愈多，他的局限性就愈表现得清楚。

安：照你这么说，文人画在元代的勃兴还有政治的因素？

冯：你的问题已经包含了答案。元代对于中原是一种异族统治。蒙古族统治者对汉人施加专制性的政治歧视，这便使受压抑的文人开始面对自己的内心。艺术走向私人化。抒发性情的文人画自然就被催生了。

安：还有其他原因吗？

冯：画院撤除，春事都休。院体画师走向社会，走向民间。他们不再有官府撑腰。到了社会上，他们的画虽有高超的技术，但没有新意。一些院画高手如陈琳、王渊，便涉入文人画。一边是院画退潮，一边是文人画涨潮。

安：还有第三个原因吗？

冯：我正要说另一个至关重要的原因，是文人画改用了绘画材料——纸。院体派画家一直使用绢作画，文人画改用纸。绢的表面质地光滑，适于连水带墨长长的线条与笔触，特别是用中锋的长线来勾勒轮廓。同时绢又不渗水，宜于精整地描绘事物。数百年的绘画过程中，院体派形成了一整套适合在绢上作画的技术。这种特定的技术效果已经是一种定型的审美形态了。

安：纸就完全不一样。宣纸渗水，无法画太长的线。浓淡干湿的笔墨反复重叠可以产生非常丰富的效果。水墨相融还能千变万化。它完全是另一种审美。

冯：我想说的，你已经说了。赵希鹄在《洞天清禄集》中谈到米芾作画就不肯"在绢上作一笔"，所用的纸"不使胶矾"，有意叫它渗水洇墨，甚至有时连笔也不用，以纸筋、蔗滓、莲房为之。这种崭新的、丰富又神奇的水墨效果适于文人丰盈复杂的内心感觉。它是一种全新的文人的语言，它给画坛带来一片前景无限的全新的感性世界。在这里还要再强调一下，赵孟頫对文人画也是立了功的。他的"书画同源"之说，大大丰富了笔的情致与文化内涵。书法恰恰又是文人擅长的，这便使文人画一登场就活力无限和魅力十足，就像巴洛克艺术点燃了天主教一样，文人画一下子成了画坛主流。"元四家"中的黄、王、倪、吴全是文人画家。

安：这四家哪个最重要？

冯：倪瓒。

安：为什么？

冯：他提出"仆之所谓画者，不过逸笔草草，不求形似，聊以自娱"和"聊以写胸中逸气耳"，这句话应是历史上文人画第一次"宣言"。他这话一说出，就与院体派界线划清，他说出文人画的本质、宗旨与定义，也是对苏轼以来文人画观的总结与升华。倪瓒有理论，有很自觉的文人画的理论。只有执这种理论的人物才是旗帜性人物。他的理论今天还有用，具体的理由我后边再说。再有，他本人学养极深，个性孤高。他的画便最具有极鲜明的文人气质和个性精神。他的画宁静、寂寞、枯索、抑郁；绝少色彩，都是黑白，这些都是他内心与性格的写照。他的画是他理论的一个范本。

安：你对吴镇有何看法？

冯：吴镇也是明确地沿着苏轼、米芾开创的文人画的道路走下来。他说："墨戏之作，蓋士大夫之词翰之余，适一时之兴趣。"这表明他走文人画的路非常自觉。他这句话是给当时的文人画定了性。但也表明，文人画最初不是职业的，而是文人的一种生活文化。最初的文人画也是最本质的文人画。初衷最能体现本意；本意往往就是本质。

安：你这句话有意思——元代文人画不是职业的。依然是隶家画，业余的吗？

冯：元代的文人画由业余走向专业。文人已成画坛的主宰者。

安：这倒让我想到，西洋绘画一直没有文人画。其实达·芬奇也有很好的文学修养。为什么他的画是纯客观的、技术型的，不是属于自己心灵的，而主观主义的西洋绘画直到后期印象主义才出现。

一九六二年二月一日发表在《天津日报》上的画作《碧云寺石桥》，是我第一件问世之作。当时打开报纸，惊见自己作品印在报上，欣喜之情闪闪发光，这感觉今天还能感到。

冯： 在西方，关于艺术表现心灵的话题，出自古希腊的哲学家苏格拉底与大雕塑家克莱尔的一次谈话。在克莱尔说出"美"基于数与量的比例之后，苏格拉底便道出那句名言："艺术的任务恐怕还是表现心灵吧！"可是苏格拉底这句话被后世画工高超的画技掩盖了。

安： 为什么？

冯： 一方面由于西方没有中国式的士与仕、文人与士大夫这个十分明晰的社会阶层。另一方面与工具有关。在西方，自古作画与写作是完全不同的两种工具——钢笔（写作）和画笔（绘画），相互性能迥异，绘画与写作无关，能文善画者寥如寒星，绘画水准最高的作家如歌德、莱蒙托夫、雨果、安徒生、马雅可夫斯基、萨克雷等，在专业画家眼里还是业余的。在中国，作画与写作用的是同一种工具，都是纸笔墨砚，文人对工具性能十分熟悉。他们用毛笔和宣纸写文章，也写书法，又作画，不分彼此，诗文书画很容易成为一体；相互作用，相互丰富，相互融合。所以既有"诗画一体"之说，也有"书画同源"的说法。古来文人就讲究琴棋书画，触类旁通。因此说，文人画最能表现中国文化的特征。

人类历史的规律是，随着社会生活的发展，人的审美必然不断地变化；人类的艺术不会总在一种观念与形态下原封不动。但西方绘画从纯客观、技术性的绘画观里走出来较晚，直到工业革命时期，人追求个性张扬和自我表现，主观主义的绘画才露出面孔，这就是你刚才说的后期印象主义时期，塞尚、梵·高、莫地里安尼等。

安： 我把话题扯远了。现在必须又回到文人画上来。宋以后院体派衰落的原因是由于文人画的兴起和取代吗？

冯： 一方面是院体派走到尽头。就像宋人写诗怎么也写不过唐人，这样宋词就蹦出来了。

安： 人们看院体画的时间太长了，早已经审美疲劳了。

冯： 另一个原因是文人画给绘画带来无限空间与可能，也给自己带来无限可能。文人在极其私人化的状况下作画，个性随心所欲地发挥，一下子，绘画变得千差万别，这使文人画充满魅力。元代文人画的崛起，非常像法国印象派那样，给人以改天换地的感觉。

安： 元代文人画还有一个新面貌，是诗文与印章登上画面，这应该是文人画对中国绘画的一大贡献。

冯： 我赞成你的说法。诗文被写在画上，朱红的印章也盖在画面上，一种焕然一新的文人画面貌被完成了。当然，这些做法始于宋代苏轼、米芾那几位。他们已经随手在画面上写字写诗盖印章了。我说随手，是因为这都是文人擅长的、惯用的，是一种文房特有的美。对于文人来说，与写作最近的是书法；写作之外，最先成熟的艺术品种也是书法，所以把诗文写在画上很自然。印章也是书法中常用的。特别是元四家的画大多是水墨的，黑白相间的画面上盖两三方朱红小印，十分优美和优雅。当诗文、书法、绘画、印章这四种艺术——诗文（文字）美、书法美、绘画美、印章美这四种艺术美合为一体，不仅成倍的增加绘画的文化含量和艺术含量，一种中国文人独有的美的形态也被创造出来。

安： 元代的"画上诗"和宋代的"画中诗"有什么区别？

冯： 画中诗属于内容的，与画境融为一体的，可视的；画上诗一方面是内容的，但需要欣赏者用联想去体会二者相补相生的关系；另一方面画上诗又是形式的，画面与书写的文字相互搭配，构成一种唯文人画才有的形式美与意韵。

安： 有人说，当代人对中国画形态的基本印象与认知来自文人画，你同意这种说法吗？你认为文人画超过了院体派绘画了吗？

冯： 当代人——无论中国人还是外国人对中国画的印象都是元以后文人画的形态。这由于院体派距今较远，内容古老，当文人画登上画坛，这种写实能力很强的院体画一直没有发展，最后僵死，与今天的绘画失去联系。再有，文人画的形式更为中国所独有。当代人——特别是外国人便误以为文人画为中国画的全部。我再回答你后半个问题，我不认为文人画超过院体绘画，也无法超越院体画。艺术之间无法超越，只能区别。对于整个中国绘画来说，文人画应是拓展了中国绘画内在的容量与表现力，文人画深入到本性与心灵的层面。

安：这样一来，写实的绘画是否就受到压抑？

冯：你这话很尖锐。元以后文人画的一统天下，大大削弱了中国画的写实与反映现实的能力，连写实技巧也没有发展。人物画由此衰落，再也看不见《簪花仕女图》和《清明上河图》那样的作品了。这是文人画潮流带来的巨大的负面。

安：元代文人画是中国绘画史的高峰吗？

冯：是的。中国画史有三个高峰。一是宋代的院体画，二是元代的文人画，三是清代的大写意画。

安：从文人画开始，画家开始在画上公开署名。照你刚才说的，这是独立人格的一种表现吧。

冯：是的。这是个了不起的事。文人署名，表示自己不再隶属于任何人。他们以笔墨敞开心扉，还用长长短短的诗文，表达思想，直抒情怀。比起院体派，文人画是自由的艺术。这也是元代以来，文人画漫溢开来的根由。

安：文人画除去把绘画从"文本艺术"变为"人本艺术"，并且融合文房各种美的元素之外，还带来什么东西？

冯：文化。文人的气质，品格，素养，底蕴。这也是文人画特有的精神内涵与文化内涵。

安：文人画有没有负面的东西？

冯：文人的逃避现实。不入仕途的文人大多抱着避世态度。淡泊名利，不问现实，移情山水，寄兴花草，所以文人画在题材上基本上是山水花鸟——文人画也正是在这方面成就卓著。但人物画成了中国画的软肋。文人画这个致命的弊端在元代已经表现出来了。

安：到了明代应该就是文人画的天下了吧。

冯：明代的画坛非常复杂，很难一言以蔽之。明代的前期、中期和后期分别被三个画派所称雄。前期唱主角的是浙派。浙派的根据地是杭州。杭州曾经是南宋画院'马远、夏圭'的所在地，院体画风一统天下。在明代，从明太祖那时就恢复了宋代宫廷画院的体制，还设立了待诏、副使、锦衣镇抚、供事内庭等十几个职位。院体画风重现盛世。一个院体风格的画派——浙派应运而生，还有一些画技非常的高手如吴伟、李在、王谔、戴进、朱端、吕纪等支撑大局。这很投合明代初期驱走异族统治而带来的一种社会上的"山河重光"的怀旧情感。

安：文人画消匿一时了吗？

冯：没有，只能说没有浙派势头大。然而至迟到了成化年内，一个文人画派就生机勃勃成了气候。

安：应该是吴门画派吧。文（征明）、沈（周）、仇（英）、唐（寅）四大家。他们的出现与江南经济繁荣和城市兴起有关。后来，董其昌的松江画派的出现也明显有着社会经济的背景。经济繁荣促使城市形成。城市里必然集结一批富人和文人。

冯：是呵。可是刚才我就说了，明代的情况很复杂。文人里有在朝的士大夫，也有在野的文人墨客。有的文人与宫廷关系密切，画风上受院体派影响。比方文人聚集的吴门画派虽然以"明四家"为领袖，但是这四个人中间只有两个是纯文人画家——沈周和文征明；唐寅和仇英的画风是标准院体派的。如果把仇英放进画院，也是一位不容置疑的领袖式人物。

安：你怎么看唐寅？在一般人眼里，唐寅是"江南第一风流才子"，诗书画无所不能。他的画按说理所当然是文人画了。

冯：其实他的画是标准的院体画。他爱用绢作画，师法宋代的李唐和刘松年。他山水的皴法是地道的斧劈加钉头鼠尾。造型具象，构图严谨，许多画面都像是从宋画里搬来的。人们对唐寅的印象因世俗的演义所歪曲。好像他风流倜傥，十分浪漫，其实他在年轻时就患上肺痨，五十四岁便死去。他是文人，但他的画不是文人画。对于深具文人画影响的吴门画派，发挥主要作用的应是沈周和文征明。沈周自年轻就淡泊仕途，喜好诗画与书法，终日浸淫其中。他的画平和、清雅、含蓄，意味深远。这对当时在野的文人画家们具有"导向"的作用。明代是文人画推广的时代，由于沈周和文征明的影响，大批文人参与到绘画中来，并把绘画作为他们生活的一部分。同时也接受了自倪瓒以来"写胸中逸气"的绘画观。

安：对明代文人画有广泛影响的另一个人，应是董其昌了吧。

冯：我想你一定提到他。我年轻时读绘画史，董其昌一直被当做保守主义的代表，因为他主张复古。我很少注意董其昌的画。我看画的原则是：看复古的画不如直接去看古人的画。后来，我在美国的一些大学讲我的小说《三寸金莲》时，在中部的密苏里的博物馆居然看到大批董其昌的画，气势高雅又高贵，美极了。那个博物馆还展出一个夏圭的长卷，好像是《四景山水图卷》，反而不觉得很美。我惊讶美国人怎么会收藏如此之多董其昌的精品。美国著名的汉学家葛浩文说，美国有些人专门研究董其昌，他送我两本大画册，都是美国人写董其昌的论文。他们把董其昌当做中国画的代表。

安：你从此改变了对董其昌的看法？

冯：不那么简单。我刚才说明代的画坛复杂，就与董其昌有关。首先他把中国画分为南北两大派，并依照佛教的顿悟和渐悟，称之为南宗和北宗。尽管他划分南宗和北宗的标准与被划分为南宗或北宗的画家不相吻合。但他的理论目的十分明确——他反对以技能取胜的北宗，推崇追求神韵的南宗。他褒南宗抑北宗；弘扬南宗，排斥北宗。所谓南宗就是文人画。被他划入南宗的画家从唐代的王维、宋代的苏轼、元代的四家直到同时代的沈周与文征明。他对绘画本质的阐述十分符合文人画的内涵，比如"画之道，所谓宇宙在乎手者，眼前无非生机""以画为寄""寄乐于画"等，这些话都在他那部画论《画禅室随笔》里边。他官至尚书，身居高位，周围聚集着一大批著名的士大夫和文人画家，如顾正谊、赵左、莫是龙、陈继儒等。这样他的理论与言论就非同一般，对文人画的发展以巨大的推动。

安：我很想听一听你怎么看他的另一面。

冯：他的南北宗理论——也就是褒南抑北之说，大大贬低院体派的历史成就，致使文人们自命清高的同时，偏激地把院体画斥为出自工匠手中皮相笔墨。由此降低了中国画的造型能力和对现实的关切，把中国画引入单一的文人画的死胡同里。更尤其，他一往情深地提倡复古，他的"师古人"比赵孟頫倡导的"古意"影响大得多，也糟糕得多。赵孟頫推崇的不过是"过意"，他顶礼膜拜的却是"古人"。自此，中国画的款识上最常见的是"仿×××笔意""傚×××笔法"。以古人为至上，以模仿和酷似古人为荣。到了清代，文人画一统中华，院体派几无身影。尤其到清代娄东派和虞山派（四王）的笔下，画面彼此相像，毫无生命气息。这些应与董其昌有关。

安：看来你认为董其昌过大于功？

冯：客观说——是的。董其昌要不说那些话就好了。他一方面推动了文人画，一方面又使文人画患上重病。他本人的画很好，书法也十分好，他却把整个文人画运动推进复古主义的泥淖中。

安：明代画坛就没有一个没患病的文人画家吗？

冯：有，"一个南腔北调人"——徐渭。中国社会有个规律，每到一个朝代的衰落期，统治者束缚乏力，就会有一些极具个性的人物出现。再有便是八大。八大是中国文人画的高峰。他哭之笑之，全付诸笔墨。每一见他的画，如听到一声雷声。他的画直诉心灵。他与倪瓒、苏轼以及后来的郑板桥连成一条线，就是文人画的主线。

安：你这么推崇八大？

冯：想想看。如果从董其昌直接蹦到四王那里，没有八大石涛，没有扬州八怪，中国画不全成了复制品了吗？中国画最大的问题是彼此相像——至今如此！八大的价值是个性的直接呈现。石涛的价值是"师造化"和"搜尽奇峰打草稿"。

安：你说中国有个性的文人大都出于衰世或乱世。扬州八怪为什么出自乾隆盛世？

冯：经济高度发展的时候或地区，也会为专制社会松绑。当时扬州太发达了，书画市场很活跃，一些有名气的画家靠卖画活得挺舒服。这里需要指出，清代画坛已是清一色的文人画。文人不再是"词翰之余，适一时之兴趣"，而是为温饱和财富而作画。一旦他们进入市场，成为职业画家就开始变质，他们一定要受市场的束缚。个性便被世俗的爱好所左右。像黄慎、闵真、李方膺都多少带点卖相了。但有的画家不错，坚持一己的个性。

八怪的"怪"便由此而生。

安：可是"怪"也能成为卖点。

冯：这话说到家了。我也曾怀疑扬州八怪的称呼是市场制造的一种诱惑性的说法。

安：扬州八怪中你最喜欢哪个文人画家？

冯：最具文人特点的画家郑板桥，最具文人气质的画家是金农。读一读郑板桥的题画诗文，就能领会他的"家事国事天下事"俱在画中。他那幅"一枝一叶总关情"，应是中国文人画的经典。

安：四王不是文人画家吗？

冯：我大胆说一句，清代绝大多数的"文人画"，只是"文人的画"，不是"文人画"。特别是当文人画职业化了之后，文人画的形式和方法也被程式化和套路化。这种相互因袭、日趋陈腐的气息从王原祁和王时敏直抵民国年间的湖社。文人画面临绝境。幸亏有几位大画家走到画坛的中央。

安：我知道你指谁而言，因为你以前说过。不过我想问你，为什么你说齐白石和傅抱石是文人画家，而李可染不是？

冯：李可染是技术型的。他的画很好，但内涵有限。他的画中没有自己，也没有文人的气息。傅抱石和齐白石都有，有文化内涵和气息，也有他们的喜怒哀乐。他们的画宣泄自己的情感。画意深远，意味无穷，画中的境界都是他们自己心灵的创造。

安：民国画坛还有什么值得重视的现象？

冯：民国画坛比明代画坛还复杂。一是外来艺术冲入中国，中西文化强烈的冲突，中国人封闭太久，所以每次遇到社会的转型，都喜欢时髦，喜欢过激。大批年轻人跑到西方学习西画，就像追求新思想一样。也正是这个时期"中国画"的名称才出现。古代没有"中国画"一说，因为古代中国人没见过西洋画，没有比较，也就没有"中国画"的概念。

安：这个问题过去我还没想过。

冯：民国期间，中国画需要面对西方画反观自己，但中国的画家仍在一往情深、日复一日地唱着文人画的老调，很少反思。另一方面是近代城市的高速发展致使绘画作品市场化速度加快。这使得作画速度较快的大写意画客观上得到发展。比如海派。但海派的画大都具有卖相，是一种商业画，一种在上海滩上热销的商品画，市井气很浓。这使得徐渭、八大以来的大写意画世俗化。

安：你竟如此看待海派。他们的画风是文人画的。

冯：只能说形式是文人画。但内涵空泛，实际上是商业画。

安：你好像愈说愈有点悲观。

冯：这因为文人已经渐渐撤离画坛了。自从废除科举，文人们不为仕途念书。传统的文人向近代的知识分子转化，五四以来，看重的是社会的进步与思想。同时改用钢笔写作，渐与笔墨无关。就像西方人那样绘画与写作分道扬镳。文人开始撤离画坛，只把一种古代的文人画的传统留在画坛上。等到一九二一年陈师曾出来，捧出一篇《文人画的价值》。给文人画下定义，明确指出文人画要表达独立精神、个人思想与情感，以及个性之美。因为他已经痛感"文人画终流于工匠之一途，而文人画特质扫地矣"。应该说，这是古往今来把文人画说得最明白的一篇文章。从文人画的性质、特征、规律、追求到理想，一直到文人画家应具的精神品质，都说得清清楚楚。倘若这篇文章发表在明代，哪怕清初，也会发挥巨大的良性作用。可惜，在二十世纪二十年代，传统文人已到了最后一代。文人画从宋代士大夫的业余画（隶家画）到元代在野文人的专业画，再到明清职业画家的商业画，已经走到末路。文人画不可能回到倪瓒和苏轼的时空里去。本来陈师曾把他的文章当做一篇"文人画宣言"，但实际上已是一曲文人画的挽歌与哀曲。

安：既然文人已经撤离，历史无法挽回，你为什么今天还要提文人画呢？

冯：我想，我所提的文人画是一种为心灵而画的精神，一种非商业的艺术行为，一种文学的气质与韵味。因为，它至今仍是中国画的一种缺失。这些我会在明天"我的绘画观"里仔细道来。今天我们从绘画史来思辨文人画，明天从我的言论来思辨我的绘画观。可好？

安：和你谈话很有趣，有启发。你对文人画的历史看法很有主见。不过有的问题我还要再想一想，说不定要反驳你。

冯： 只有遇到反驳才会进一步思考。我害怕你只是点头同意。你只点头，等
于终结我的思考。

二、关于个人的绘画

一、个人绘画观

安： 你为什么画画？内心处在什么状态时最想用绘画表达出来？

冯： 关于为什么画画，我写过一句话"人为了看见自己的内心才画画"。也
就是当心里的东西转化为一种可视的画面时，我便渴望把它呈现眼前。
此时我的心理很急，希望瞬息间就完成。我写过一个对联：万般思绪，
百挥不去；一呼即来，十足精神。

安： 你写作时，比如写一篇小说或散文时，也这么急吗？

冯： 不，我要一点点挖掘。有时一篇小说要反反复复写很多遍，散文也是一样。
所以高尔基说文章是"改"出来的。画不能改，尤其是中国画，一笔上去，
或成或败，立竿见影。

安： 咱们还说急，你为什么作画时这么急？

冯： 我说"人为了看见自己的内心才画画"。这是一种心情和情感。感情中
间没有理智。

安： 这就是说，你的文学的动机比较理性，绘画的动机完全来自情感。

冯： 可以这么说。更准确的说法，是来自内心。

安： 内心包括什么？

冯： 内心是心灵。心灵是一个世界。它包括想往、追求、爱与梦、隐秘、万
般心绪、各种情感和感受。

安： 这些都是很私人化的东西。

冯： 内心当然是私人的。私人是最真实的个人。个人是艺术的出发点和立脚点。

安： 你的绘画是纯艺术吗？文学呢？

那时使用的笔与墨，大多笔尖都给纸磨秃。

冯：我的绘画是纯艺术的。文学多半不是，我的文学很少私人化的，包括散文。我有的散文有私人性，但没有绝对的私人化。我对自己已做过分工。我说："艺术，对于社会人生是一种责任方式，对于自身是一种深刻的生命方式。我为文，更多追求前者；我作画，更多尽其后者。"

安：你对自己把握得似乎很清晰。

冯：在理论上还算清晰，但一进入具体创作就会"跟着感觉走"了。

安：现在我们把问题拉回到绘画来。你怎样把一种内心状态转化为一种可视的画面？有意的，人为的，还是听凭自然？

冯：这种转化不是人为的，是一种自动转化。往往激情来了，眼前立即会出现奔涌的大潮，狂风中的森林，一泻千里的长河。作画的冲动随之而来。当然，多半是这些发自内心东西转化为一个独特的画面时，也就是升华为艺术时，我才开始作画。

安：你这种激情来自生活实感，还是一种莫名的激情？

冯：问得好，两种都有。

安：你刚才说必须内心的东西升华为艺术时，你才动笔。你为什么用了"升华"两个字？

冯：因为艺术是一种高级的创造性的审美表现。

安：怎么叫审美的表现，我是不是有点的刨根问底？

冯：不，你应当往下刨。就是说你心中的画面必须具有独特的审美价值和绘画价值。

安：你的绘画价值指什么？

冯：职业画家们看得最重的那些东西。属于绘画本身的那些东西。形式的、技术的、艺术感觉的、表现能力的。

安：你认为这些不重要吗？

冯：这个话题是不是可以放在后边说。

安：可以。你有没有不是来自性情，而是先想出一个很美的画面而作画的？

冯：有。但它不同于职业画家那种纯视觉的想象。它是一种精神理想。比如我的那张《山居梦》。我在画上题写到"吾之山居应在此"。我不会为一种视觉美、一种肌理效果、一种新奇的构图而作画，我的想象多半是一种人生理想。

安：你好像在回答刚刚那个问题。

冯：是你换个方式仍旧问刚才那个问题。

安：你的画面总是有很强的文学气息。你的内心是不是已经文学化了？比如诗化了？

冯：作家一切精神活动最终都是文学化了的。

安：画家一切精神活动最终都是绘画化了的。

冯：我是两栖的。所以我想象出来的画面和境界一定又是文学的画面和境界。

安：你把我要问的问题的答案先说了出来。我换个问题问你——你的画被誉为"现代文人画"的代表，好像日本绘画大师平山郁夫先生也称你的画融合了"作家的创造力"，是一种风格独异的"现代文人画"，你认为这种评价贴切吗？

冯：我的画迥然不同于任何专业画家的画，不仅是风格不同，更重要的从作画的原始动力到最终目的，从内涵到追求，都完全不同。依照习惯，人们总要用一个词来称呼我这种有别于他人的画。比较现成的词汇是"文人画"。一方面是因为我是作家，文化人，文人；一方面是我的画中有文学意境和文学气息。同时，我又与古代文人画大不相同，便冠之以"现代"，叫做"现代文人画"。如果从这个意义上说我是"现代文人画"，我不反对。反正比文学界一些批评家称我的《神鞭》和《三寸金莲》是民俗小说或津味小说强。人们总不会为我的画专门发明一个名词。然而，我要做的是，必须从理论上说明白我的"现代文人画"是什么，以免误解。或者误以为我还是像古人那样"翰墨之余，聊以自娱"。因为每一个现成词汇里都有一种既定的文化内涵。

安：你既然不是"翰墨之余，聊以自娱"，你和传说文人画有何关系？换句话说，你和传统文人画是什么关系？

冯：传统文人画和文人画传统是两个不同概念。传统的文人画是属于历史的，它是一种既定的形态，是过去时的、静态的、不变的；文人画传统是特定的、动态的、可以不断创造的。前者是死的；后者是活的。我和文人画的关系，主要是和后者——活的传统的关系。

安：什么是文人画传统？

冯：文人立场，独立品格，个性为本，直抒胸臆。

安：什么叫文人立场？

冯：一是独立的精神，一是文人的修养。这是文人的根本。

安：你反对作画"自娱"吗？

冯：作画本身具有自娱成分。但我作画不只是为了自娱。

安：你和传统文人画的区别在哪里？

冯：表面看，我的画与古代文人画一点也不一样。现在一些所谓的"新文人画"，是在模仿古人，装高雅，我称之为做"古人秀"或"文人秀"。

安：为什么？

冯：古人不用手机、不上网、不开会、不出访、不看《人民日报》和"新闻联播"，怎么可能一样？我们用手机、上网、开会、出访、看《人民日报》和"新闻联播"，然后再去画那些残山剩水、抚琴弃舟、养菊养鹤、把酒唱诗，那不是做"古人秀"吗？每个时代的文人都有自己独有的精神，如果没有自己的精神，那也只能作秀。

安：关于你的画一切具体的问题下边再谈。先谈谈，你认为画家需要理论吗？

冯：自古以来重要的画家差不多都有理论。比如郭熙、苏轼、倪瓒、董其昌、石涛、郑板桥等，数不胜数。但艺术家的理论与理论家的理论是不同的。艺术家的理论是他对自己所从事的艺术一种理性的思考。他们不像理论家那么系统，但充满灵性的发现，言之有物，不会隔靴搔痒。没有一个好的艺术家不思考艺术本身的。不过，有的艺术家能够用理论性的文字把这种思考梳理出来，有的没有写出来。但这不妨碍他是非常优秀的画家。比如八大。这因为，尽管艺术家需要用大脑思考，更需要很好的艺术感觉。或者说，对于艺术家——思考是大脑，感觉才是生命。

安：你好像很有理论能力。

冯：应该说，我有理论的兴趣。我在文学和历史文化保护方面都写过大量理论性的文字。我喜欢把丰繁的感觉梳理得清晰有序，喜欢反复思辨和层层深入。我曾经感觉到在理性思维时，大脑的空间里各种思维的轨迹穿插有序，层次分明，境界异常优美，为此我画过一幅画，叫做《思绪的层次》。

安：我接下来的一个问题是，如果有的艺术家连理性思考也没有，可以很杰出吗？

冯：如果是今天的艺术家，那就不可能很杰出。在当代社会中，艺术高度发展，信息传播太快，相互影响和相互排斥，艺术家必须找到自己的独特价值，对外部世界保持清醒，对自己的把握十分自觉。我说过，艺术家在相同的道路上一同毁灭，在不同的道路上各自成功。

安：你有意与别人保持不同吗？

冯：如果我找不到个人的艺术道路，与别人走到同一条路上去，我就会失去自己。从这个意义上说，任何人对于我都是陷阱。但是这个"不同"不是强求的、刻意的、硬造的，更不是在形式和技术效果上寻奇作怪。我们和别人的不同实际上在自己的身上。

安：你认为关键是主体。找到自己的个性，也就找到与别人的不同。

冯：对。文人画的价值正在这里。文人是抒写自己的心性。可惜文人画这个本质叫董其昌掀起的复古大潮破坏了。

安：农民画也需要理论吗？

冯：民间艺术家凭天性来画画。他们本人不需要理论，他们的艺术却需要理论的总结。

安：是的，这方面的事你也正在做。现在该谈谈你的画了。

冯：好呵，请先饮这茶——宁波望海茶，用水沏了，碧绿一片，茶片全立在水里，叶尖放香，无论形态还是味道，都非常独特。

安：你已经开始谈你的画了。

二、个人的画

安： 你在从事文学之前专业作画和现在作画有什么本质区别吗？

冯： 以前我是职业画家，现在是"文人画"。以前我必须天天画，现在我心里想画才画；以前的画都是依照绘画的规律想出来，讲究笔墨功力与构图，追求视觉效果；现在完全是信由心性。

安： 信由心性是一种什么感觉？

冯： 放开心灵，抒发情怀，每一笔像是心里抒发出来的，画画时的感觉很美。有时还像写文章——边写边深化自己。

安： 你的一二十年作家生涯是否改变了你？

冯： 是的。主要是一进一出两个方式。进的方式是感受生活的方式，出的方式是表达内心的方式。画家感受世界是用眼睛，作家感受世界用心灵；画家的表达方式是呈现，作家的表达方式是叙述。我不知不觉运用了作家的方式。

安： 叙述？这是一种文字的方式。你怎样用笔墨来叙述？

冯： 比如我那幅《忧伤》，借用晚秋的山水叙述心中一种莫名的伤感。先是在浓重的泥岸上生出一片凋零和衰落的秋树，它们无力地低垂着稀疏的枝条；然后是阴冷的天气里，隔岸迷茫的景物，都在加重此刻的寂寞和无奈。这一切，似乎被两只失群而漂泊的鸟儿感受到了，它们沉重地扇动着疲乏的翅膀飞着……你听我这么说是不是在叙述？上述的形象细节是一个个加上去的，如同散文的语言一句句逐步深化。

安： 这确是很像散文。

冯： 所以我说我的画有"可叙述性"，应是一种散文性。

安： 古代文人画的文学性是指诗性，或诗意。

冯： 我不排斥诗意。诗与画的结合是古代文人画的重要特征。诗的意境往往集中在一个静止的点上，作画时便围绕着这个"点"状的诗意来营造。但散文的意境不同，它是线性的，它要靠一个个细节动态地加深，就像写文章一样。

安：这很有意思，绘画过程本来就是线性的。

冯：在欣赏过程也是线性的。

安：为什么你要强调散文性？

冯：因为散文更接近我们这个时代的方式。

安：这就是你"现代文人画"中的"现代"吗？还有谁也是这样？

冯：它是我区别古人的主要一点，当然还有别的——我放在后边说。具有叙述性的绘画有两位画家，一是林风眠，一是日本的东山魁夷。

安：林风眠好像没写过散文。

冯：和他写不写散文没关系。我是说他的画具有叙述性，可以像散文那样一句一句叙述出来。林风眠还有一种伤感气质。画面的主调低沉又深沉，我很喜欢。谈到林风眠，还有一点我很注意。他有一段话这么说的"中国现代艺术因构成之方法不发达，结果不能自由表现情绪之希求，因此当极力输入西方之所长，而期形式上之发达，调和吾人内部情绪之需求。"我们称赞林风眠在中西艺术上结合的成功。他这段话却道明这个成功的关键，即为了"自由表达情绪"。这正是文人画的本质。

安：你的话可以证实到你身上隐约有点林风眠的影子——这是我早已感到的。有时有，有时没有。请你谈谈，还有哪些画家影响了你？

冯：还有东山魁夷，他也是散文家。

安：我读过他的散文，确实非常美，十分宁静，和他的画一样。有喜多郎的音乐那种空灵感。你们的气质有些相像。

冯：能在气质上影响我的不多。凡是在气质上影响我的，都和我的某些气质接近。

安：你这个人很达观，喜欢朋友，爱说笑话，平常公开的场合里几乎看不到你有伤感的气质，也看不到你会沉溺于宁静。但你的画确实有一种或浓或淡的伤，为此你最喜欢借用秋天的事物，有些画还近于苍凉，比如《秋之苦》《往事》《心中的风雪》等。你的画大多是十分宁静的。你的画为什么和你这个人不一致。

冯：还是一致的。你刚才用了一个词很重要，就是"平常公开场合"。很多人对我的印象是从各种公开场合中得出的。但我的画所表达是我心灵更深层、更本色的部分。

安：我承认你的画的气质魅力往往就在这一面上。你为什么把自己这一面刻意埋藏起来？你是不是有两重人格？

冯：这已经超越我绘画的问题了。

安：好，现在回到别人对你的影响方面。有哪些画家你很喜欢，但对你没影响，为什么？

冯：八大和齐白石都是我至尊至爱的画家，但对我毫无影响。主要是我的气质与他们截然不同。此外，在艺术上我不需要像他们那样提炼笔墨。我从不炫耀笔墨和技巧。

安：你也认为"笔墨等于零"吗？

冯：对于一个画家，如果拥有并自信自己笔墨的能力和审美价值，便可以这么说。如果他的笔墨的能力有限，在审美上又立不住，还要说"笔墨等于零"——那就"见与儿童邻"了。

安：笔墨作为一种语言之外，有没有独立价值？

冯：当然有。包括线的功夫，肌理美、皴法美、水墨的变幻美；笔墨的独立审美价值还因人而异。比如线条，吴昌硕的线，金农的线、齐白石的线，各有各的美，各有各的意味与神韵，互相不能代替。

安：你追求这种笔墨的美吗？

冯：追求，但不是我的第一追求。我追求心性之表达。笔墨于我，首先是一种语言。它要支持我的第一追求。同时笔墨的美也要表现出来，但不能游离在外，只表现它自己。比如《春风又吹绿枝条》中那些游丝般的长线，首先是抒写春风一般的柔情，而线条自身的美与功力也会自然地流露出来。

安：你对自己的笔墨似乎很自信？

冯：笔墨是基础。这一关早过了。但这些基本功还远不够用，笔墨的能力还要根据自己的需要不断开拓。

安：学中国画都是从套路化的笔墨学起的，你早年苦练过很长时间院体派的笔墨技巧，这些东西今天对你的作用是正面的，还是负面的？

冯：正反面全有。在艺术上，一切既有的都是自己的障碍。这包括既定的技法、风格、审美方式。尤其是我初学画时那一套院体派的画法太完整了，它往往会把人异化。一出手就是这样，很难从中走出来。至今我的画还会流露出一些这种遥远的基因。

安：你不嫌自己的画比较具象吗？

冯：关键这具象是不是一种纯客观的绘画对象。如果是一种纯客观的对象，我会没有心情画下去。我的具象全都是心中向往的，寄寓着我的性情，呈现着我的想象。

安：这种具象会不会是对一般观者的一种迁就？一般观众总是比较容易接受具象。

冯：你想问我是否媚俗？

安：说媚俗就是一种否定了。我挺喜欢你一些很具象的画，比如《树后边是太阳》《期待》等。我是说你作画时是不是因为想到了多数观者的接受习惯而选择了具象。

冯：没有。我作画只遵从自己的感受。我不是选择了具象，而是习惯了具象。

安：这习惯是否还是院体派绘画对你影响造成的？

冯：你真厉害！是的，院体派，古典主义的画都是具象的，我的具象思维源自古典。你是否像时髦评论家那样认为抽象比具象高明？

安：那就看你的具象是否高明了。具象是否高明，只能与具象相比；抽象是否高明，只能与抽象相比。

冯：就像鱼儿不能和鸟儿相比一样。

安：这里边的道理我们已经讨论得很充分，现在该谈谈你与古代文人画的关系了。关于你与古代文人画的相同之处，你谈了不少。最关键的是抒发心性。但从形式上看你与古代文人画却大相径庭。比如你很少题跋，为什么？

冯：多数时候是因为自己的意思已经在画里边了，没必要多此一举。再有我的画面不宜题字，题字反而破坏画境。

安：你的画很满，似乎也没有地方可以题字。为什么你很少留空白呢？

冯：空白最高深的意义是"此时无声胜有声"。空白不是"无物"，而是"有物"。可是明清以来的绘画里，空白的精髓被抽去，没有想象，成了白纸，使得画中的形象与景物摆在白纸上很虚假。我想用画境把纸融化掉。但是《树后边是太阳》中的雪地，还有许多画中的光线，我用的都是"白纸"。我喜欢这样创造性地用"空白"，赋予白纸以特定的生命。

安：你虽然不在画上题字，却很注意画名。有时很像一篇散文的题目，它很重要吗？

冯：是的。你说得对，它们就是散文的题目。我的画本来就是一篇篇散文。这些题目很重要，可以帮助别人理解我的画。比如《往事》这个题目，不是让你更能体会那一片秋风里漂泊着的荻花中的意味？

安：你像作家对待篇名一样重视画名。

冯：经你一说，我才发现这真的是一种作家的思维与方式。

安：树的枝条，流水，还有你刚说的芦苇与荻花为什么总出现在你的画里？

冯：流水和风中的树枝都是动的，适于表达我作画时变化的心绪。对于我，树的线条是一种心迹；水的急缓动静是我的各种不同的心境。芦苇里有一种很特别的既温情又忧郁的感觉，很宜于描述我经常出现的心情。

安：鸟和船也常常可以在你的画中找到，它们的意义何在？

冯：它们在画中的位置也是我在画中的位置。是我的代替物。

安：为什么你的鸟往往只是一个黑影？这在别人的画中很少见到，为什么呢？

冯：鸟画具体了，容易给人印象是花鸟画。其实我们在大自然中看到的鸟，就是一个灵动的跳来跳去的影子。尤其逆光的时候，鸟的影子很黑，极美，像生命的精灵。

安：说到光，似乎你对光有特别的情感。

冯：情感两个字说得很准。我醉心于光。阳光给万物以生命，万物在光线中最有生气也最美丽。

安：为此，你画了一张《照透生命》。

冯：是的。

安：你明显地偏爱逆光和夕照。为什么？

冯：逆光中，事物的一多半变得模糊，光影重重，有种生命的神秘美。在各种光线的照射中，只有逆光有这种美，它使万物顷刻里变得超凡脱俗。至于夕照，我很迷恋。我刚写过一篇散文叫《夕阳透入书房》，请你有时间看看。

安：古人很少描写光。

冯：东晋顾恺之的《画云台上记》开始第一句就是"山有面，则背向有影，可令庆云西而吐于东方。清天中，凡天及水色，尽用空青，竟素上下以映日。"表明那时已注重光影的表现。但在唐宋绘画中却找不到描写光的画面。中国画最多只表现四季和日月晨昏，没有更具体的时间性，从来不注重光的表现，也没有表现光的技法。我见过金农的一幅立轴《月华图》，画上当空一月，周围的月光只是些淡墨的四射的线条，很笨拙。

安：你怎么表现光？

冯：利用白纸，这我刚才说了。就是运用中国画"空白"的原理，把白纸作为光线。

安：这是一种很新的手法。

冯：我用白纸表现光，主要是两个地方。一是在树的缝隙里留出空白，以表现林中的光明，使其有空间感。一是直接用白纸作为阳光。

安：在《照透生命》中，这种用白纸来表现光线的效果很强烈，刚才你也说到在《树后边是太阳》中，那布满长长的树影的大片雪地，也是利用纸的白，这是你的一个创造。

冯：只能说明中国画的笔墨有巨大潜质有待我们去发掘。

安：谈到笔墨，我想问你，为什么你坚持以墨为主色，你如何处理墨与色彩的关系？

冯：墨在中国画中不只是黑色，是一种语言。就像黑白照片，一样能够表现色彩缤纷的世界。如果失去墨，就没有中国画。在水墨唱主调的中国画中，色彩运用的原理是看它能不能与墨产生关系——无论是与墨谐调，还是与墨对比。只要能够与水墨有机地成为一个整体，便都能入画。古代画家的浅绛山水，就是拿花青和赭石与墨谐调，为此还把赭石与墨调合为赭墨，把花青与墨调和与螺青，设法使色彩与墨融为一体。

安：你拒绝哪种颜色？

冯：金色和银色。

安：现在我们从你的画面跳出来，谈几个作画过程中的一些话题。听说你的一些画与音乐有关。比如《小溪的谐奏》《古诺小夜曲》《F调旋律》《船歌》等。是音乐诱使你生发出这些画面，还是你作画时一直伴随着这些音乐？

冯：我作画时多半是听着音乐。我写散文时也如此。我要找一些与写作或画画情境相近的音乐，一边听，一边或写或画。我让音乐帮我确定这种心境。因为在创作过程中常常会发生一些微妙的变化，使初衷走调或迷失。此外，我确实也有一些画面是被音乐唤起的。比如《小溪的谐奏》，是克莱德曼的一支钢琴曲使我感觉像一条清溪由远到近冰凉地从心上流过。

安：你受摄影影响吗？

冯：我非常爱摄影。最近一个出版社约我编一本摄影集。

安：你喜欢听哪些音乐，古典的、现代的、中国民族的、流行的？

冯：最常听的是西方古典的，经典的。

安：那天那位意大利的文化参赞说，看你的画能感受到你很浪漫，你是否很浪漫？

冯：所有艺术家的精神都是越矩的、浪漫的。但这种浪漫不是人为的，而是一种天性。

安：如果你作画时心中先有一个幻象，落笔后想象的画面发生变化怎么办？

冯：下笔前的幻象只是一种感觉，并不具体，朦朦胧胧，飘忽不定，一旦落在画面上，就会发觉它是另一个样子，这种情况常有。再说，作画过程中还要不断地变化，不断地出现意外。但是不管画面怎么变，只要心性还在就可以了。这个道理郑板桥也讲过。当他说到作画时常常感到"胸中之竹不是眼中之竹，手中之竹又不是胸中之竹"。这时，他提出两个关键词即"意在笔先"和"法外化机"。只要"意在"，即心性在，完全可以随机而变，随意挥洒。这正是文人画的特征。

安：有没有胸无成竹而落笔成趣的时候。

冯：有。有时，有了画兴却没有幻象，只有一种情绪在心中鼓荡。这是一种很美的感觉。因为桌案上的白纸充满灿烂的希望与可能。这时一落笔，形象就诞生了。

安：如果画成之后并不满意怎么办？也就是画坏了怎么办？

冯：画不一定全画成。享受了过程就是享受了作画的全部。我最近还写了一篇《作画》，也请你有时间读一下。作画的过程，由绘画欲望的萌生到骤至，从第一笔落到纸到它的全过程，其美其妙，无与伦比。尤其是宣纸和水墨碰在一起，充满偶然，也唤起无限新的灵感与想象。作画的成果属于别人，作画的过程属于自己。没人能够和你共享这个充满变数的过程。

安：最后一个问题还是关于你的画。你说过你的画不重复。为什么？是有意不重复吗？

冯：不是有意不重复，而是无法重复。因为大多数画都是在一时的特定的心绪和情境中产生的。这种心绪是自然而然的，无法重来；心中的画面也是随之生发，也不是刻意营造的。曾经两次应人要求，按照画幅重复画一遍。结果画了一半就画不下去了。因为我没有作画的情绪。就像写文章，怎么可能写一样的文章，连一样主题的文章也不可能重复地再写一篇，甚至自己写过的话也不会重复再写一遍。文学是不准抄袭别人，也不准抄袭自己。

安：你骨子里是文人画，因为你凭着作家的思维来作画。再问你一个十分关键的问题，你认为你是职业画家吗？

冯：我今后永远不会做职业画家。

安：为什么？

冯：宋元的文人画，就是被明清以来的职业化毁掉的。画家若要职业化，就会付出艺术最渴望的东西——自由。

安：好了。你已经把自己表达得很充分了。

注：本文安先生为虚构的问话人

天津晚报 第 3 版
1963年4月12日

山水画中的点景人物

馮驥才

国山水画中的人物叫做点景人物。在画
起着点缀景致与启明画意的作用。
景人物有着悠久的传统。从魏晋绘画的
于山"（张彦远《历代名画记》）到展子
春图》，"人小如豆，而神采如生"，
人物画的背景演变到山水画的过程中，
逐渐退居为次要地位，然而，做为"点
衬托"的点景人物，当然不能"喧宾
，而是要"丈山尺树，寸马分人"（王
水论》），并要力求精简。从五代到
过画家们画笔的洗紫就简，墨的精益求
景人物已經成熟，当时以马远、夏圭最
，他们采取和画树石一致的笔調来画
是"人物面目，点凿为之；衣摺飘槍，
缺"（饶自然《山水家法》），得其协調
的效果。如夏圭的《寒江独钓图》中的
图一），只寥寥几笔，而渔翁精全神的持竿
态，生趣活现。明朝画家繼承宋、元
有所地进，象王諤的《闊者晴峰图》中，
而行的长幼二人（图二），仅在长者下
条鈎赧，一曲，就生动的写出他们相顾
神姿。清初四王，以笔墨胜，酷爱摹
点景人物多是幽人隐士，来做为一种玄高
形式，空有其形，而无其神。而石濤能

"运情摹景"（石涛《画語录》），其人物，
別具胸襟。
清人李渔（笠翁）在他的《芥子园画传》
中收集了历代画迹中各类点景人物，凡一百一
十种，并以詩为名或定注諸式，如：倚杖听
流泉，挑錢过野桥，或担篆式、遮伞式（图
三）、对谈式等。又如"漁家聚饮式"（图
四）描写漁家一日辛苦的捕魚后，老少亲友，
聚饮一处，那敞怀宽衣、瓦缽清酒、談笑、蒲
扇……构成了夏晚欢凉的生动情景，富于真实
而又自然的生活趣味。
点景人物，是极写意人物，亦是完整的造
型。它体现了中国绘画的"以形写神，以少胜
多，化繁入官"的特点。它更求"无目而若
覩，无耳而若听"，那不仅要"无意便不可落
笔"还要有高度的笔墨技巧。一般的点景人物
是头大腿短，衣宽袖学（图五），臥牵者，立
可触橥；坐船者，无下肢体（图六），甚至是
"远人无目"，既使除却衣履，简哭吓人的，但
是，这种經过高度捉炼，重点夸张的典型的艺
术形象，在画
中，却令人感
到形美神足，
气势密然。

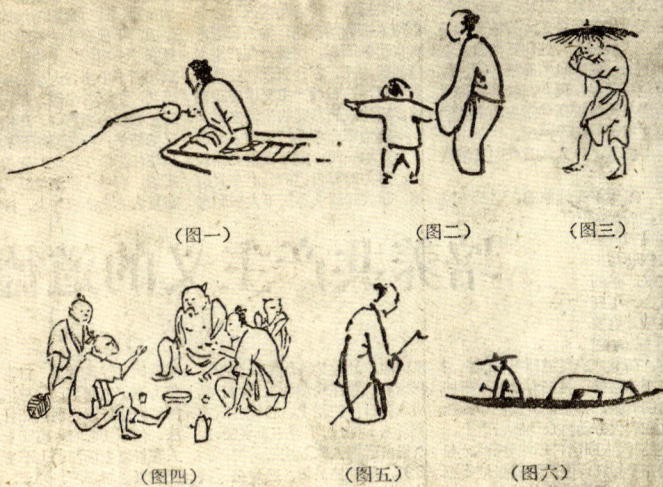

（图一）　　　　（图二）　　　（图三）

（图四）　　　（图五）　　　（图六）

一九六三年发表在《天津晚报》上的艺术随笔《山水画中的点景人物》。

笔耕人画语

艺术对于社会人生是一种责任方式，对于自身是一种深刻的生命方式。我为文，更多追求前者；我作画，更多尽其后者。

绘画是把瞬间变为永恒。

文学是连绵不断的画面，绘画是片段静止的文学。文学是用文字作画，所有文字都是色彩；绘画是用笔墨写作，画中的一点一线，一块色调，一片水墨，都是语言。

除去诗词，我更喜欢把散文融入绘画，成为一种可叙述的画。

艺术的本质是用最自然的形式表达最人为的内涵。

艺术家的工作是把艺术充分个性化，待这一工作完成后就看艺术家本人的天性是否具有魅力了。

一九九三年三月

一个作家的"画语录"
——由冯骥才画展引出的对话

问话人：侯军（作家、记者）

答话人：冯骥才

引言

就像是戏台上使惯了青龙偃月刀的关云长，忽然用起张飞的丈八蛇矛。冯骥才，这位以大量杰出的文学作品饮誉海内外的名作家，忽然把钢笔换成了毛笔，就像变魔术似的，转瞬之间，推出了洋洋大观的"冯骥才画展"，还出版了一本令许多专业画家艳羡不已的厚厚的《冯骥才画集》，这件事不啻使多少有点沉寂的天津艺苑掀动起一阵不大不小的波澜。

不能不承认，许多观众在最初步入展厅的时候，还是心存疑窦的：一个作家画的东西，该不是"卖名气"吧？而更多的观众则是来看新鲜的：大冯，不就是写《三寸金莲》《神鞭》的那位嘛，他给自个儿的小说画的插图还挺哏的，这回办画展，兴许也有点奇奇怪怪的东西。然而，当那一百余幅绘画作品闯入观众的眼帘，他们顿时安静下来了，进而陷入了沉思。不论每个观众的内心感受如何千差万别，但有一点却是共同的：大冯献给观众的是艺术品，是真正的绘画艺术，只不过同众多的绘画作品相比，又显得未曾相识而别有滋味。于是，画展的魅力迅速发散开来，把高鼻深目的洋人吸引来了，把许多港台及海外侨胞吸引来了，把全国各地的艺术爱好者吸引来了，而更多的是把普通观众吸引来了。在观众的要求下，主办者不得不延长了展期，先是一些外地省市向作家提出邀请前去展出，接着，一些国家的文化组织也相继发出了邀请。直到五月二日展览才落幕，据艺术博物馆的负责人称，这次画展参观者逾一万五千人次，创下了该馆近五年来参观人数的最高纪录。

没想到，一个作家的画展能引起如此强烈的"轰动效应"，不仅主办者没想到，连冯骥才本人也略感意外。这实在是当今艺坛的一个谜——冯骥才主编的《艺术家》杂志，老爱评选艺坛"神秘人物"，今年，大冯或许自己该获得入选的光荣了，我想。

为了破译这个"冯骥才之谜"，我与大冯相约进行了下面这番涉及文学、绘画、音乐乃至艺术思维等诸多问题的对话——

作家画·文人画·文人的画

问：冯先生，首先祝贺您的画展取得圆满成功。您的画展我看了三次，在参观过程中也接触了一些观众。我和许多观众一样，觉得首先需要请您解答的问题是：您是一位很有成就的作家，可是今天却画出了一批画，大家很自然地就把这些画看做是一种"作家画"。而作家是文人，这又使我想到了中国古代的"文人画"。中国的文人画一向讲究诗、书、画的结合，讲究在画中体现诸多人文的、美学的内涵，而这些特点在您的绘画中应该说都是具备的，然而您的画又完全不同于古代的"文人画"。因此有人说您的画是一种具有现代意识的文人画。说到作家画，历史上许多作家都擅画，中国的不必说了，外国的如普希金、萨克雷都曾为自己的作品画过插图，雨果也画过自画像，可是他们的画也绝没有您这些画的规模、境界以及专业性。那么，您的画到底是一种什么画？您作为一个作家，究竟是以怎样的绘画观来作画的？

答：一个当代作家画起画来，常常被人们感到是一件非常奇怪的事情，好像绘画和文学创作是互不沟通的两个星球。可是在中国古代，文人画画却是一件非常自然的事情。古代讲文人的修养通常用四个字，就是琴、棋、书、画。自然也就出现了你刚才所说的那种"文人画"。为什么说古代文人作画是非常自然的事情呢？首先是古代文人写文章或者画画，用的工具都是一样的。他在写诗、写信、作文章时，使用的是毛笔，写着写着，当有某种意味或者情状无法言传时，便在纸上以画状之、求之。由于对工具（纸笔墨）的性能很熟悉，便自然而然过渡到绘画去了。当然绘画是一门技巧性很强的艺术。文人在没有掌握更多的绘画技巧的情况下，常常是画一些竹、兰、梅、菊、石头、松树等形态简单、便于掌握，技术上不太复杂的题材，借以自喻，抒发情怀。所以文人笔下的"四君子"（竹兰梅菊）尤其多。对这种画，我并不称作"文人画"，而是称作"文人的画"，以示同真正文人画的区别。

我们所讲的文人画，是指文人通过他们自身修养、个性、气质和艺术观念，创造出一种独特的审美模式。它是很专业性的。然而这对于古代的文人比较容易一些。原因有二，一是前边提到的与工具有关，二是在绘画与文学中间，还有一个媒介体，就是书法。文人写文章，他的审美追求，首先是从书法这门既抽象又形象的艺术表现出来的，书法与绘画相通，然后再过渡到绘画上去。董其昌在《画禅室随笔》中说："士人作画，当以草、隶、奇字之法为之。"这说明，在古代文人手中，诗文书画原是一体，即王维的"诗画同源"和赵孟頫的"书画同源"。苏东坡、唐寅、郑板桥等都是作家，也是书画家，有谁为他们能文善画而惊奇莫解？

可是现代就不同了，现代作家写作是用钢笔，还有更先进的已经用电脑了，而绘画则完全是用另外一套工具。你看我的房间，里边这张桌子上放着钢笔、稿纸，这套工具是用于写作的；外屋那张桌子，放着纸笔墨砚，那是用于绘画的。我说我有两座"车床"就是这个意思。那么，假如现代的一个文人、一个作家要想画画，他有非常绝妙的想法，非常强烈的表现冲动，也有非常具体的形象幻觉，如果叫他动笔画出来却很难，因为他工具不熟悉，技巧也不掌握，根本无从表现。由于近代绘画与写作所用工具分化。在中国近代文化史上，文人渐渐离开绘画，文人画有如濒绝的稀有动物，几乎在画坛销声匿迹。文人退出书坛的情况更明显，现在年轻一代书法家很少自己写诗，大多是"抄诗"，书法变成与内容无关的笔墨功夫，面临的危机更大。因为书法是纯粹的文人的艺术，而绘画只是文人介入的艺术。

我是一个例外的幸运者。在成为作家之前有十几年专业从事绘画的经历。我长期从事摹制古画的工作，对工具性能熟悉，掌握传统技法比较广泛，最重要的是锻炼出一种绘画思维，建立起一整套从生活、从大千世界中随时随地感应审美信息的接收系统，说白了，就是绘画给我装了一个专门的"接收频道"。有了这个频道，即使不作画，这频道也照样在工作。一旦频道接通画笔，整个系统便运转起来。当然，我所追求的是"文人画"，而不是"文人的画"。

文学中的形象与绘画中的文学

问：在一般情况下，文学与绘画可能是截然不同的两种思维方式，但在文人画中却是相融的、统一的。您能不能比较本质地谈谈，文学与绘画之间都有哪些异同呢？您身兼作家和画家这两种身份，应该比别的艺术家对此有更深的体验吧？

答：要回答你提的这个问题，我想先讲一个文学史上的例子：当年高尔基曾把他写的一篇小说寄给契诃夫看。契诃夫看完给高尔基回信说，你在这篇小说里写了一个头发蓬松的、眼圈发红的、身材细长的人，坐在被秋天的霜染红的、被行人的脚踏得倾斜一边的草地上，这样长长的一段，要是让我来写的话，我只写一句话，就是"一个人坐在草地上"。接着，契诃夫说了一句很有意味的话，他说："因为文学就是要立刻生出形象。"尽管文学不像绘画那样具有直接的可视性，但文学必须寻找最有效、最快速的方式，让读者在阅读过程中，能把形象尽快想象出来。如果读者感到文学所描写的都逼真如画，宛如目见，便很快进入情节与故事中去。这说明，文学和绘画首先都要表现形象，都要运用形象思维。

进一步说，它们又不同。文学要表现的形象，除去人物和事物外部的、可视的形象之外，还要有另外一种深层次的形象，比如生活形象、社会形象、思想形象，还有人物的性格形象、内心形象，等等。特别当这种形象是一种复杂的变化的矛盾着的个体，就非绘画的擅长。那么，文学与绘画在哪个层面上沟通？要不，回到表层上，即把绘画当做文学（一句诗或一首诗）的形象化的图解。要不，还有一个更深的层面可以沟通，这个问题我一直在思考。为了说明问题，我再举一个例子：前两年我到苏州去，陆文夫陪着我去游网师园，这是苏州一个非常著名的明式园林，小巧精致，曲径通幽，结构玲珑剔透，而且很有书卷气——中国最高品格的园林都富有书卷气——园子中间有一个荷花塘，四周围竹树环合，倚山临水是个大亭子，迎面都是门窗隔扇，里面摆着桌椅茶几，琴桌香案，正中一个素白釉的大瓷缸，这是当年主人插放字画用的，客人们来了，如果点到缸中哪幅字画，主人马上命书童打开给客人看。大厅上挂着一块匾，叫做"听松读画堂"。当时陆文夫就问我为什么叫"听松读画堂"而不叫"听松看画堂"？我说你问得真好，"读画"二字正体现着中国文人画一个非常重要的特征，那就是中国画讲究意境。中国文化中有几个字是非常有意思的字，一个是"神"，一个是"气"，一个是"数"，再就是这个"意"字。中国人讲形象，而比形象更高的是意象；讲趣味，比趣味更高的叫意味；讲境界，比境界更高的就是意境了。意境是什么？就是画家把某种思想或某种深意，寄寓到画中的境界里去了。有了这层意，画面就底蕴深厚，绝非一览无余了。那么，这个"某种思想"又是什么？就是作者的文学化的思想。因为一般的思想要进入画里很难，它必须先被审美化，也就是把它诗化，它才能够进入绘画。中国人不习惯把理性的哲学的思想直接塞入画中，而是要经过诗化的过程、文学化的过程，再寄寓到画中去。这正是中国人的方式。而且在寄寓到画中时，大都也是采用文学手法，譬如象征、比喻、夸张、拟人，等等。这样就构成了中国绘画深厚的文学性，也就是这个"意"字。那么这个画意是不能被"看"出来的，也是"看"不出来的，必须"读"出来。这里借用了一个读书的比喻，用了一个"读"字，以表示好画都是意含深远，必须采用读书时那种领悟的方式，而不是只凭眼睛看看表面形象就能理解的。"意境"二字，意为文学，境为绘画。"意境"是文学与绘画融合的高度浓缩的专用语。绘画与文学正是在这个很深刻的层面上沟通起来的。不知我把问题是否已经说明白了？

当代"新文人画"之我见

问：您这两个例子都很妙，不仅揭示了文学与绘画的关系，而且点破了中国"文人画"的真谛，讲得很明白，至少我本人已经明白了。但是接下来就产生了一个新的问题：现在也有人在倡导"新文人画"，而相当一部分所谓"新文人画"却似乎并没有您前边所说的那种"意境"，怎么"读"也读不出那种滋味来。不知您对此有什么高见？

答：作为一个当代作家，我是从文坛来观察画坛的。前一段，画坛上确实掀起过一阵"新文人画"。由于我刚才说过的原因，文人撤离画坛，文人画日渐其少，绘画走向行业化和技术化……倡导"新文人画"非常必要。但必须弄清楚，宋元以来文人介入绘画后，最大的贡献是什么。我想应该是使绘画更具有文化。其次，才是由于文人要表现他们的绘画观（如意境、个性化、神似、含蓄性、自娱性和情绪化等），而创造的诸多的手法和技法，特别是一些卓有成就的文人画大师，还创造了非常富于魅力的审美模式。

传统有活传统与死传统之别。活传统是指传统的文化精神、本质特征和规律性的东西；死传统则是前人所创造的模式，哪怕这模式具有极高的审美价值，再搬用都于绘画的发展没有意义。建立新文人画，首要是立足于文化上，使自己具有较高的文化素养与文化品格。倘若舍本求末，匆匆从古代文人画中寻求那些形式符号，加上一些现代趣味的审美改造，其目的仅仅是为了寻找中国画的出路，借用一些文人画现成的笔墨形式而已，实际上与文人画无关。

未来的"新文人画"，指望着从画家中产生。绝非像我这样的"作家中的例外"。这就必须期待于有志于"新文人画"者，先使自己成为"文人"，而后笔下才有"新文人画"。

文学是用文字作画 绘画是用笔墨写作

问：您刚才讲过，您是在当作家以前学会绘画的，那么，如今在当了十几年作家之后重返丹青世界，在您的感觉上同以前有什么不同呢？换句话说，您的十年文学生涯对您的绘画有些什么影响呢？

答：在很深地涉猎文学之后，返回来再画画，自然要受到文学创作的很多影响。我承认，我的绘画能改变成今天这样的面貌，完全是受益于我的文学创作。

比如说，文学创作使我产生大量的、丰富的感觉。你写一部小说，就要写几个、十几个乃至几十个人物，必然要去体会每一个人物在不同环境、不同矛盾、不同境遇、不同季节气候或不同时间环境里的种种微妙的感受，而且必须使自己变成你的人物，用全部身心去体验。比如写一个人物在寒冷的环境里，作家必须使自己连皮肤都有寒冷的感觉，然后才能从中找到最恰当的细节来表达。我写过的人物总有几百个，我身上积累了多少千差万别的感觉。比如伤感，它绝不只是单一的感情，有的伤感强烈而有气势，有的伤感绵长而悠远，有的伤感凄婉得很，有的伤感十分美好。一种感觉在画中就是一种情境。这种感觉积存多了，随时都有表现欲。当然作家的感觉并不只是从他对人物的体验中来，更多的是从生活的体验中来。这些感觉可以用小说、诗歌、散文去表现，有的时候就非常想、或者说是必须用绘画的形式去表现，也许是它更适于绘画，也许是因为我急于要直接看到它，于是在瞬息之间，它就会化成为一幅画……这是文学创作对我的绘画的最明显的影响之一。

再有，凡是搞过小说创作的人，都很明确艺术是不能重复的。我们所讲的创作，其实就是创造；这创造，其实就是独创。科学因否定了前人的结论而推动科学的发展，如果有位科学家推翻了牛顿的"万有引力"或爱因斯坦的"相对论"，人类科学技术便会出现划时代的飞跃。但是在艺术中，谁也无法否定前人，我们无法否定莎士比亚或者曹雪芹，否定贝多芬或者毕加索，艺术是靠区别而存在。这区别包括两个含义：

一是要区别于别人，艺术的最高境界都应是自己所独有的。明朝人沈颢在《画尘》中所说的"孤踪独响，悠然自得"，就是此意。艺术的道路什么地方最宽广？在现成的道路之外的地方最宽广，独创的境界最宽广。我想，艺术本质的要求就是这样的。二是文艺创作还要千方百计区别于自己。一个作家不仅写过的故事、人物、情节不能再重复，就是用过的细节、比喻、警句都不能再用，否则就有抄袭自己之嫌。这种思维定式的形成，也给我的绘画带来一个好处，就是不敢重复。

问：这个好处非同小可，它可能使您得以避免重蹈前人模仿和因袭的覆辙。

答：是的。其实绘画也不应该重复，为什么这样讲？你看我这儿有一个窗户，还有那盆花。它们从早到晚，在不同的光线里给你的感觉是绝对不一样的。清晨，那种欲晓的天光映照它时，它带着模模糊糊、似醒未醒的感觉，过后，便一点一点睁开眼睛……一缕阳光照进来，它枝枝叶叶，重重叠叠，充满生机；阳光直射时，它变得过于暴露，有点呆傻；到了逆光时刻，它每一朵花的周围都带上了一个光环，别有一种风韵与情态；到了黄昏，在夕阳里，它整个就像熔化的金子一样燃烧起来，然后又逐渐朦胧下来，只剩黑黑一个影子，神秘感就来了。……每天每刻，阴晴雨露，你对这花的感觉都不一样，更何况你面对它的时候，心态也全然不同，或喜或忧，或烦或静，由此而生发所产生的联想也不一样。你不过只在某一个时间里，对它有种特殊而强烈的感受，画下来，记录下来而已。如果你当时没有把它画下来，换一个时间它就变了，它怎么可能一样？绘画怎么会重复？

问：记得您在画展的代前言《笔耕人画语》中，曾讲过"绘画是把瞬间变为永恒"，大概讲的就是这个道理吧？

答：是的。事物的景象在不停地变化，你的心态也在不停地变化。只不过在某一瞬间，它们相撞了，就像电影中的定格，成为一幅画。这相撞的结果是，事物的景象找到了灵魂，而你的心找到了显影的屏幕。

问： 你说的灵魂，是不是生命的含义？

答： 它其实就是你的生命。一点一线、一块色彩，无不带着你的个性、气质、追求，以及一时的情绪与生命状态。但是，它又是借助其他物象或景象，经过了审美化的，所以它又是独立的艺术生命。

"最高的艺术是无技巧的"

问： 您上面所谈的固然很有道理，也很精辟，但似乎偏重于绘画动机与艺术思维等领域。那么我想坦率地问一句：您对绘画的技巧持什么看法？您是否对它强调得有些不足？要知道，光靠生命和感情的投入，没有技巧，同样是难以感动观众的。

答： 同样的问题，也有别人问过我。我当然十分注重技巧，技巧是绘画的语言。在文学创作中，小说家都把语言看做艺术成败的关键，作家写每一部小说，就有某一种艺术感觉，就要使用一种专门设计的语言。这种语言含有创造性，不能用一种语言写所有小说。依照这样的技巧观，中国画就麻烦了。由于中国社会长期封闭，文化中认同意识强，标准化意识强，在绘画技巧上程式化的东西太多。换句话说，绘画语言中大都使用"成语"。一种艺术模式定型过久，不仅束缚了创作者，也影响了欣赏者的接受习惯。这就大大限制了画家表现力的充分发挥，限制了画家个性生命的鲜活表达。文本成为人本的障碍。因此，在中国绘画史上，每一次技巧革命，都带来一次个性生命的解放。我很欣赏方薰在《山静居画论》中那四个字，叫做"心手相忘"，这"手"是指手上熟悉的技巧，"心"是指强烈的心灵表达欲望。他是说，绘画要全神贯注于心灵的张扬与重现，不必斤斤计较于技巧本身。

问： 这是不是石涛所讲的"至人无法，非无法也；无法而法，乃为至法"的意思？

答： 也是巴金所说的"最高的艺术境界是无技巧"。看来英雄所见略同。

问： 您不认为技巧本身也是一种美吗？

答： 没有内涵的美没有生命。

音乐是激发绘画冲动的"电击火花"

问： 在看您的绘画作品时，我有一种非常强烈的感觉，就是您的作品中好像
有一种独特的节奏和韵律，很像欣赏音乐时所产生的感受，比如您的那
幅《灯河》，很像一首海河小夜曲。还有的作品，您干脆就标上一个音
乐题目，比如《F调旋律》《行板如歌》《船歌》等。这使我产生一个
有趣的猜想，您的绘画同音乐是不是存在着某种联系？

答： 你能从我的画里读出音乐来，使我很感欣慰。因为激起我的作画冲动的，
常常是音乐。

我们心里储存着大量创作素材，就像堆起的干柴垛，需要一次"电击"，
就迅速地燃烧起来。对于我这"电击"便是音乐。因为在所有艺术中唯
有音乐能使人最快捷地投入进去。而且在听音乐过程中，你被变幻不停
地撩起多种思绪与情感，演化出多种画面的联想。一旦投入，艺术创作
便进入最自由的状态。

问： 这是否属于"通感"？美学上很重视"通感"，就是在艺术思维过程中，
常常把视觉的形象变成听觉的，或者由听觉引发出嗅觉的。举例来说，
您的《秋之苦》，让人很容易感到一种苦涩，引起对人生艰难的体味，
这是由视觉到味觉的转化。不知我这观感是不是一种臆测？

答： "通感"是钱钟书在艺术创作思维上的重大发现。举个例子，我最喜欢
郑板桥那首有名的题画诗："衙斋卧听萧萧竹，疑是民间疾苦声。些小
吾曹州县吏，一枝一叶总关情。"这是从听觉向视觉的奇妙转化，在转
化过程中，融入作者对黎民百姓的深挚的关切。我认为，这是中国古代
文人画最成功的范例。

问： 看来，您对绘画的态度很严肃，你赞成文人画的自娱性吗？

答： 我不反对自娱性，但我个人作画基本上没有自娱成分。我没有时间自娱。

问： 为什么您的人物画很少？

答： 我认为人物是应该写的。这是一个作家的看法。我的画也有一个强烈表
现的人物，就是我自己。

可叙述性——把散文融入绘画

问： 现在我想把话题扯回到文人画上。您到底是怎么考虑的？在《笔耕人画
语》中，您说："除去诗，我更喜欢把散文融入绘画，成为一种可叙述
性的画。"我想这涉及您的绘画特点和风格，您能否做一番具体阐述呢？
答： 从中国文人画传统上看，文学与绘画的结合，主要依靠诗。王维最先做
了这样的努力，所以苏轼称他是"诗中有画，画中有诗"。后来，董其
昌把王维推崇为南宗（即文人画）的开山鼻祖。为什么文学与绘画这两
种艺术思维的结合，偏偏选中了诗？因为绘画是静止的瞬间，而诗善于
在"点"上形成一个深化的境界，所以很容易结合，然而，王维是把诗
情注入绘画，这是深层的、高超的做法。宋代以后，倡兴题诗，干脆把
诗写到画面上去，好处是既可以欣赏画，也可以欣赏文字和书法，并形
成了一种中国人所特有的形式美。但元代以来，中国画因袭模仿之风愈
演愈烈，渐渐徒有形式，没有内在的诗意，在诗画之间的结合愈来愈缺
乏创意，渐渐退化为一种"诗配画"或"画配诗"。我一直在想，有没
有其他文学体裁可以与画结合？应该有，就是将散文融入绘画。林风眠
先生的画就具有散文性。

散文与诗不同，它不在"点"上凝聚境界，而常常用一小段落或两三段
落的文字，从"面"上对某一种景物象进行铺展式的描述，或者是从"线"
上进行深入的表达。它往往适用一连串细节，把某一艺术境界一点点强
化出来。散文入画后，比诗的内涵更宽广，表达更自由，更松弛，更具
有气氛感和抒情性。对于这样的画，如果用语言去述说画中的内容，就
会发现它具有一种可叙述性。这种可叙述性来自于散文的描述性。

我还有一个考虑。依我看，现代人与诗的关系，不如与散文更近。现代
人对诗愈来愈冷淡，对散文愈来愈抱有热情。如果将散文引入绘画，则

更容易与现代人沟通。

问：听到您最后这句话，我忽然想到一个问题。我三次参观您的画展，发现在您的展览上，观众有一种情绪，一种被感动的、渴望交流的心情，这是在其他画展上所鲜见的，为什么？

答：我想，这还是因为我带着作家习惯。作家的工作之一，就是千方百计打动和感染他的读者，寻求与读者共鸣，打通渠道，交换思想与情感。

今后将主要拿钢笔写作了

问：是啊，您有了越来越多的"知音"，会感到内心愈发充实，这必将激发您不断地创作出新的艺术作品。不过，我想您的读者或观众都会关心您下一步的打算——您今后是继续挥动毛笔作画呢，还是重新拿起钢笔写作？或者说，您将偏重哪一边儿呢？

答：今后我的右手还是拿着钢笔。我有一种体验，当作画最激动的时候，最想写作；当写作十分投入时，却常常会有很独特、很迷人的画面涌出来。一种艺术思维只会启发另一种艺术思维，而不会吞没另一种思维。

　　最近，我应一家出版社之邀，要创作一本一半散文、一半绘画的图书，这完全是一种新的尝试。主题是关于人生体验，书名叫《偿还人生》。

问：那么您这些散文和绘画是选用旧作呢，还是专门为这本书而新写新画？

答：我尽量创作新的。艺术家的最大幸福是在创作过程中，我不会放弃这种幸福的。

一九九一年五月

那时我奋斗的目标就是画画。（一九六四年）

我非画家

近日画兴忽发，改书桌为画案，开启了尘封已久的笔墨纸砚，友人问我，还能如先前那样随心所欲么？

我曾有志于绘事，并度过十五年的丹青生涯，后迫于"文革"剧创，欲为民族记录心灵历程，遂改道易辙，步入陌生的文坛。然而，叫我离开绘画又何其困难。

画者练就了一双画眼。大千世界各种形象随时随地、有光有色流过眼前，偶有美感，即刻被这双画眼捉住，尽情地痴醉其间，这是何等的快乐，这些快感一层层积存心中，闲暇时便一片片翻出来看，这又是何等美妙的享受。时而，浩阔深幽的心底，会悠然浮起一幅画来，它不是那些眼见过的画，而是心中向往的画，这才是一幅真正的画！我不过没有时间将它形之于纸，却常常这样完成了绘画所必须的全部思维过程。

文学的思维也包含着绘画的思维。

文学形象如同绘画形象，一样是心中的形象，一样全凭虚构，一样先要用心来看。无论写人、写物、写环境，必须看得逼真，直至看到细节，方能落笔。文学是延绵不断的画面，绘画是片段静止的文学。文学用文字作画，所有文字都是色彩；绘画是用笔墨写作，画中一点一线，一块色调，一片水墨，都是语言。画非画，文非文，画亦文，文亦画。我画，不过再现一句诗，一阕词，一段散文而已；站在画面上千姿万态的树，全是感动过我的不同境遇中的人物，或者全是我自己；淌过纸表的流水，不论舒缓、疾进，还是迷茫虚渺，更是我一时真切的情绪，这与写作的心态又有何异？

在一种艺术里待久了，易生麻木，今人称之为：感觉疲劳。自己创造的，愈有魅力，愈束缚自己。与之疏远一段时间，相隔一段距离，反而能更好地感觉它。艺术的表现欲望，压抑它反倒能成全它。这样，每每写乏了，开砚捉笔，展纸于案，皎白一张纸上好似布满神经，锋毫触之，敏感异常，仿佛指尖碰到恋人的手臂，这才是绘画的最佳状态。放笔纵墨，久抑心中的形象便化做有情感、有呼吸、有灵魂的生命，活脱脱呈现出来。

艺术，对于社会人生是一种责任方式，对于自身是一种深刻的生命方式。

我为文，更多追求前者；我作画，更多尽其后者。

至于画风画法，欲言无多，一任自然则已。风格是一种气质，或是一种生命状态。风格无法追求，只有听任生命气质的充分发挥。若以技法立风格，匠也。

友人说，我还是不愿意你成为画家。

我笑而不答。"画家"这两个字，对于绘画本身从无帮助。

一九九〇年四月于三乐斋中

遵从生命

一位记者问我：

"你怎样分配写作和作画的时间？"

我说，我从来不分配，只听命于生命的需要，或者说遵从生命。他不明白，我告诉他：

写作时，我被文字淹没。一切想象中的形象和画面，还有情感乃至最细微的感觉，都必须"翻译"成文字符号，都必须寻觅到最恰如其分的文字代号，文字好比一种代用数码。我的脑袋便成了一本厚厚又沉重的字典。渐渐感到，语言不是一种沟通工具，而是交流的隔膜与障碍——一旦把脑袋里的想象与心中的感受化为文字，就很难通过这些文字找到最初那种形象的鲜活状态。同时，我还会被自己组织起来的情节、故事、人物的纠葛，牢牢困住，就像陷入坚硬的石阵中。每每这个时候，我就渴望从这些故事和文字的缝隙中钻出去，奔向绘画……

当我扑到画案前，挥毫把一片淋漓光彩的彩墨泼到纸上，它立即呈现出无穷的形象。莽原大漠，疾雨微霜，浓情淡意，幽思苦绪，一下子立见眼前。无须去搜寻文字，刻意描写，借助于比喻，一切全都有声有色、有光有影地迅速现于腕底。几根线条，带着或兴奋或哀伤或狂愤的情感；一块块水墨，真切切的是期待是缅怀是梦想。那些在文字中只能意会的内涵，在这里却能非常具体地看见。绘画性充满偶然性。愈是意外的艺术效果不期而至，绘画过程愈充满快感。从写作角度看，绘画是一种变幻想为现实、变瞬间为永恒的魔术。在绘画天地里，画家像一个法师，笔扫风至，墨放花开，法力无限，其乐无穷。可是，这样画下去，忽然某个时候会感到，那些难以描绘、难以用可视的形象来传达的事物与感受也要来困扰我。但这时只消撤开画笔，用一句话，就能透其精髓，奇妙又准确地表达出来，于是，我又自然而然地返回了写作。

所以我说，我在写作写到最充分时，便想画画；在作画到最满足时，即渴望写作。好像爬山爬到峰顶时，纵入水潭游泳；在波浪中耗尽体力，便仰卧在滩头享受日晒与风吹。在树影里吟诗，到阳光里唱歌，站在空谷中呼喊。这是一种随心所欲、任意反复的选择，一种两极的占有，一种甜蜜的往返与运动。而这一切都任凭生命状态的左右，没有安排、计划与理性的支配，这便是我说的：遵从生命。

这位记者听罢惊奇地说，你的自我感觉似乎不错。

我说，为什么不。艺术家浸在艺术里，如同酒鬼泡在酒里，感觉当然良好。

一九九一年十二月　天津

表白的快意

在世事的喧嚣和纷扰中，我们常常忘掉自己的心灵。也许现代社会太多的艰难也太多的诱惑，太多的障碍也太多的机遇，太多的失落也太多的可能，我们被拥塞其间，不得喘息；那些功名利禄、荣辱得失、是非利害，都是牵动我们的绳子。就这样，终日浑浑噩噩或兴致勃勃地忙碌不停，哪里还会顾及无形地存在于我们体内的那个心灵？

每个人都有两个自己：一个是外在的、社会性的、变了形的；一个是内在的、本质的、真实的自己，就是心灵。两个自己需要交谈，如果隔绝太久，日久天长，最后剩下的只是一个在地球上跑来跑去、被社会所异化的自己。

这心灵隐藏在我们生命的深处。它是我们生命的核儿。一旦面对它，就会感到这原是一片易感的、深情的、灵性而幽阔的世界，这才是我们个人所独有的世界。在这里，一切社会经历都化为人生经历，一切逝去如烟的往事在这里却记忆犹新、依然活着，一切苦乐悲欢都化为刻骨铭心的诗……而那些难言之隐也都在这里完好保存着、珍藏着、密封着。

守着自己，便保护自我的完整；守着自己的秘密，便保存一份自享的生命内容。心灵是躲避世间风雨的伞，是洗刷自己和使灵魂轻装的忏悔室，是重温人生的唯一空间，是自己的梦之乡……

然而，它也要说话。受不住永远的封闭，永远的自知、自解、自我安慰，它要撞开围栏，把这个"真实的本质的自己"坦露给世界；或者打开一条缝隙，透露出紧锁其间、幽闭太久的风景；或者切盼一位闯入者，让心灵自己经受一次充满生气的风暴……

心灵渴望表白——

人类艺术由此而起源。这也是真正的艺术创作充溢着快感的缘故。倘若艺术拒绝心灵的表白，不仅它缺少冲击力，创作过程便成了一种乏味的受难。

艺术创作是一种生命转换的过程，即把最深刻的生命——心灵，有姿有态、活脱脱地呈现出来。这过程是宣泄、是倾诉、是絮语、是呼喊，又是多么快意的创造！所以我说：

"对于一个艺术家来说，最重要的不是存在的方式，而是他的生命方式。"

让心灵一任自然，艺术便获得生命。

一九九三年二月

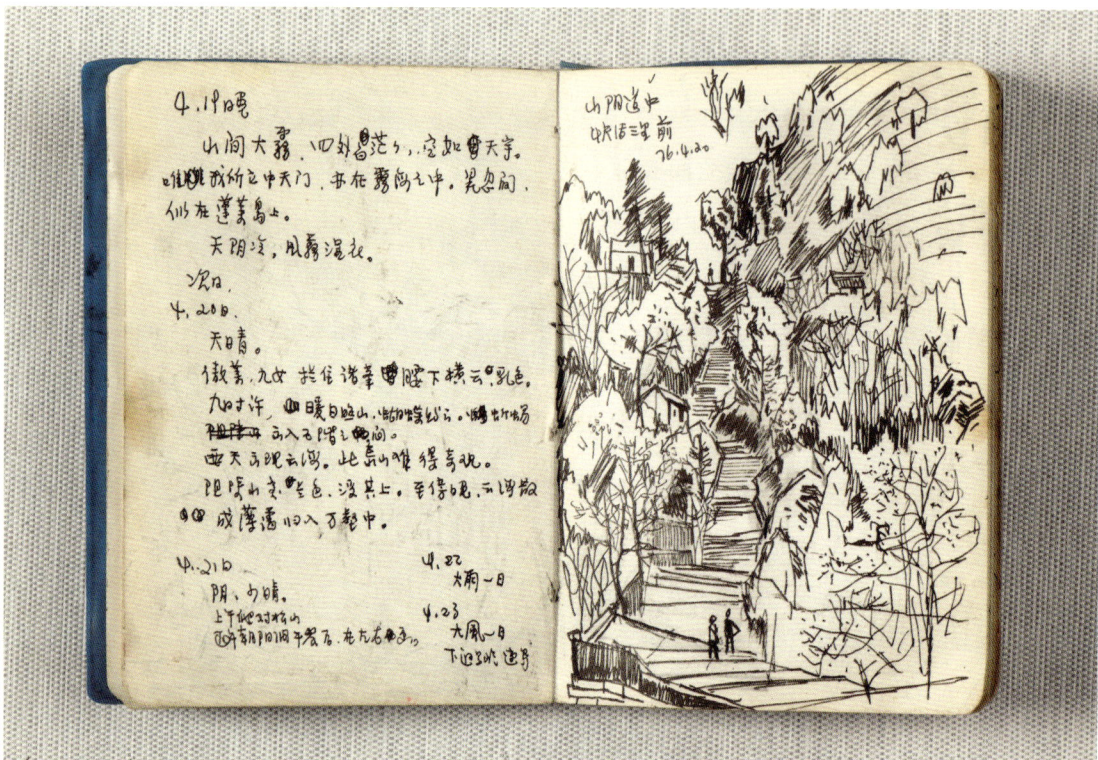

一九六五年登岱的速写本，一边是写生稿《山阴道上》，另一边还记着笔记。

绘画是文学的梦

　　我曾经使用这个题目做过一次演讲，是在美国旧金山我的画展期间。我相信那一次大多数人没有弄懂我这个题目里边非常特殊的内涵。因为多数听众只是单纯对我的绘画有兴趣，抑或是我的文学读者。只有极少的人是专业人士。

　　我这个话题的题目听起来美，但内容却很专业，范围又很褊狭。它置身在绘画与文学两个专业之间，既非绘画的中心，又非文学的腹地。我身在两个巨大高原中间一个深邃的峡谷里。站在高原上的人无法理解我独有的感受。但我偏偏时常在这个空间里自由自在地游弋；我很孤独，也满足。现在，我就来挖掘这个空间中深藏的意义。

　　我之所以说"绘画是文学的梦"，却不说"文学是绘画的梦"，正表示我是站在文学的立场上来谈绘画的。一句话，我是表达一个写作人（古代称文人）的绘画观。

一

　　文人在写作时，使用单一的黑墨水，没有色彩。色彩都包含在字里行间；而且，他们是通过抽象的文字符号来表达心中的想象与形象。这时，文字的使命是千方百计唤起读者形象的联想，唤起读者的画面感，设法叫读者"看见"作家所描述的一切，也就是契诃夫所说的"文学就是要立即生出形象"。但是这是件很难的事。怎么才能唤起读者心中的画面？这是一个大题目，我会另写一篇大文章，来描述不同作家文字的可视性。而此时此刻，另一种艺术一定令写作人十分地向往和崇尚——这就是绘画。

所以我说，人为了看见自己的内心才画画。

我相信古代文人大都为此才拿起画笔的。

但是，一旦拿起笔来，西方与东方却大不相同。

对于西方人来说，绘画与写作的工具从来不是一种。他们用钢笔和墨水写作，用油画颜料与棕毛笔作画。如果西方的写作人想画画，他起码先要学会把握工具性能的技术和方法。尽管普希金、歌德、萨克雷、雨果等都画得一手好画，但毕竟是凤毛麟角。在西方人眼中，他们属于跨专业的全才。

可是在古代东方，绘画与写作使用的同样是纸笔墨砚。对于一个东方的写作人，只要桌有块纸，砚中余墨，便可乘兴涂抹一番。自从宋代的苏轼、米芾、文同等几位大文人挥手作画之后，文人们的亦诗亦画成了一种文化时尚。乃至元代，文人们在画坛集体登场，翻然一改唐宋数百年来院体派和纯画家的面貌，展现出前所未有的文人画风光奇妙的全新景观。

我对明人董其昌、莫是龙、孙继儒等关于文人画和"南北宗"的理论没有兴趣，我最关心的是究竟文人画给绘画带来什么？如果从表面看，可能是令人耳目一新的笔墨情趣，技术效果，还有在院体派画家笔下绝对看不到的将文字大片大片写到画面上的形式感。但文人画的意义绝不止于这些！进而再看，可能是文学手段的使用。比如象征、比喻、夸张、拟人。应该说，正是由于从文学那里借用了这些手段，才确立了中国画高超的追求"神似"的造型原则。但文人画的意义也不止于此！

文人画的意义主要是两个方面：

一是意境的追求。意境这两个字非常值得琢磨。依我看，境就是绘画所创造的可视的空间，意就是深刻的意味，也就是文学性。意境——就是把深邃的文学的意味，放到可视的空间中去。意境二字，正是对绘画与文学相融合的高度概括。应该说，正是由于学养渊深的文人进入绘画，才为绘画带进去千般意味和万种情怀。

二是心灵的再现。由于写作人介入绘画，自然会对笔墨有了与文字一样的要求，就是自我的表现。所谓"喜气与兰，怒气与竹"，"逸笔草草，不求形似，聊发胸中之逸气耳"，都表明了写作人要用绘画直接表达他们主观的情感、心绪与性灵。于是个性化和心灵化便成了文人画的本质。

绘画的功能就穿过了视觉享受的层面，而进入丰富与敏感的心灵世界。

如果我们将马远、夏圭、范宽、许道宁、郭熙、刘松年这些院体派画家们放在一起，再把徐渭、梅清、倪瓒、金农、朱耷、石涛这些文人画家放在一起，相互对照和比较，就会对文人画的精神本质一目了然。前者相互的区别是风格，后者相互的区别是个性；前者是文本，后者是人本。

在中国绘画史上，文人画兴起不久，便很快就成为主流。这是西方所没有的。正为此，中国画最终形成了自己独有的艺术体系与文化体系。过去我们常用南北朝谢赫的"六法论"来表述中国画的特征，这其实是很荒谬的。在南北朝时代，中国画尚处在雏形阶段；中国画的真正成熟，是在文人画成为主流之后。

因为，文人画使中国画文人化。

文人化是中国画的本质。

在绘画之中，文人化致使文学与绘画的结合；在绘画之外，则是写作人与画家身份的合二而一。

西方的写作人作画，被看做一种跨专业的全才；中国文人的"琴棋书画，触类旁通"，则是理所当然的。因而中国人常把那种技术高而文化浅的画家贬为画匠。

这是中国画一个很重要的传统。

然而，这个传统在近百年却悄悄地瓦解了。其中最重要的原因，是书写工具的西方化。我们用钢笔代替了毛笔。这样一来，写作人就离开了原先的纸笔墨砚；绘画的世界与写作人渐渐脱离，日子一久竟有了天壤之别。当然，从深远的背景上说，西方的解析性思维一点点在代替着东方人包容性的思维。西方人明晰的社会分工方式，逐渐更换了东方人的兼容并蓄与触类旁通。于是，近百年的画坛景观是文人的撤离。不管这样是耶非耶，但这是一种被人忽略的画坛史实。这个史实使得近百年中国画的非文人化。

正因为非文人化的出现，才有近十年来颇为红火的"新文人画"运动。但新文人画并非是写作人重新返回画坛，而是纯画家们对古代文人画的一种形式上的向往。

二

我本人属于一个另类。

我在写作之前画了十五年的画。我的工作是摹制古画，主要是摹制宋代院体派的作品。恰恰不是文人画。

平山郁夫曾一语道出我有过"宋画的磨炼"，这说明他很有眼光。我的画里没有黄公望与石涛的基因，只有郭熙与马远的影子。正像我的小说没有昆德拉和赛林格，只有巴尔扎克、屠格涅夫、蒲松龄、冯梦龙、鲁迅，还间接有一点马尔克斯。

我自七十年代末与绘画分手，走上文坛，成为第一批"伤痕文学"作家。在八十年代，我几乎把绘画忘掉。那时，我曾经在《文艺报》上发表过一篇文章叫做《命运的驱使》，写我如何受时代责任所迫而从画坛跨入文坛。但当时，人们都关心我的小说，没人关心我的画。我的脑袋里也拥满了那一代人千奇百怪的命运与形象。就这样，我无名指上那个常年被画笔的笔杆磨出的硬茧也不知不觉地消退了。

到了九十年代初期，我重新思考自己下一步的创作道路，陷入苦闷。在又困惑又焦灼的那一段时间里，无意中拿起画笔，只想回到久别的笔墨天地里走一走。忽然我惊呆了。我不是发现了久违的过去，而是发现了从未见过的世界。因为，我发现心灵竟然可以如此逼真并可视地呈现在自己的面前。

但是，现在来认识自己，我并没有什么重大突破和发现，我只不过又回到文人画的传统里罢了。

三

我与古代一般的文人不同的是，我写过大量的小说。每篇小说都有许多人物。小说家总是要进入他笔下每一个人物的心中。就像演员进入角色，体验不同情境中特定的情感与心境。我相信任何小说家的内心都是巨大的情感仓库。他们对情感的千差万别都有精确入微的感受。比如感伤，还有伤感、忧虑、忧郁、忧愁、愁闷、惆怅等，它们内涵、分量、给人的感觉，都是全然不同的。它们不是全可以化为画面吗？一旦转为画面，相互便会大相径庭。

我现在作画，已经与我二十年前作为一个纯画家作画完全不同了。以前我是站在纯画家的立场上作画；现在我是从写作人的立场出发来作画。

尽管现在，我作画中也有愉悦感，但我不是为自娱而画。绘画对于我，起码是一种情感方式或生命方式。我的感受告诉我，世界上有一些东西是只能写不能画的，还有一些东西是只能画不能写的。比如，我对"三寸金莲"的文化批判，无法以画为之；比如我在《思绪的层次》中对大脑的思辨中那种纵横交错、混沌又清明的无限美妙的状态，只有用画面才能呈现。

尽管我对画面上水墨的感觉，对肌理效果，对色彩关系的要求，也很严格甚至苛刻，但这一切都像我的文字，必须服从我的心灵，而不是为了水墨或肌理的本身。

我之所以这么注重心灵，还是写作人的观念。因为文学最高的职责是挖掘心灵。

四

关于绘画的文学性。我明确地不把诗作为追求目的。

绘画是静止的瞬间，是瞬间的静止与概括；诗用一滴海水来表现整个大海，诗是在"点"上深化与升华。所以诗与画最容易结合。在古人中，最早这样做的是王维。故此苏轼说"味摩诘之诗，诗中有画；观摩诘之画，画中有诗"。诗是中国绘画与文学的结合点与交融点。

但我不是诗人，我写散文。我的散文非常强烈地追求画面感，那么我也希望我的画散文化。尤其是对于现代人，更接近于散文而不是诗。

散文与诗的不同是，散文是一段一段，是线性的。但线性的描述可以一点点地深化情感和深化意境。同时使绘画的意境具有可叙述性。诗的意境是静止的。散文的意境是一个线性的过程。但这不是我创造的，最初给我启发的是林风眠先生，林风眠先生的画就是散文化的，还有东山魁夷的画。

说到这里，我应该承认，我的画不是纯画家的画，我在当今应是一个"另类"。应该说，在写作人基本撤离出画坛的时代，我反方向地返回去，皈依文人画的传统。我愿意接受平山郁夫对我的评价，我是一种"现代文人画"。

五

现在我从梦里醒来，回到很现实的一个问题里。

今年一次在北京参加会议，忽然接到一个电话，声称是我的铁杆读者，心里憋口气，想骂骂我；为此他喝了两大杯酒。酒劲上头，乘兴把电话打来。我便笑道："你想说什么，尽管说吧。批评也好，骂也无妨，都没关系。"

他被酒扰昏了头，有的话来来回回说了好几遍。我却听明白，他说我亦文亦画，又投入城市文化保护，又搞民间文化遗产抢救工程。他说："你简直是浪费自己。除去写小说，那些事都不是你干的！不写小说还称得上什么作家！你对读者不负责！"他挺粗的呼吸通过电话线阵阵撞在我的耳膜上。我只支应着，笑着，一再表示接受他的意见。我没作任何表白，因为此时不是交流的时候。

我常常遇到这样的读者，他们对我不满。怎么办？

不久前，我为既是作家又是画家的雨果写了一篇文章，叫做《神奇的左手》。里边有几句话，正是我想对我的读者说的：

"你看到过雨果、歌德、萨克雷等人的绘画吗？只有认真地读他们的书又读他们的画，你才能更整体和深刻地了解他们的心灵。我所说的了解，不是指他们的才能，而是他们的心灵。"

二〇〇二年四月二十六日

当时正在作画，恰巧一位爱摄影的朋友来串门，"喀嚓"一声记录了下来。（一九九一年）

水墨文字

一

兀自飞行的鸟儿常常会令我感动。

在绵绵细雨中的峨眉山谷，我看见过一只黑色的孤鸟。它用力扇动着又湿又沉的翅膀，拨开浓重的雨雾和叠积的烟霭，艰难却直线地飞行着。我想，它这样飞，一定有着非同寻常的目的。它是一只迟归的鸟儿？迷途的鸟儿？它为了保护巢中的雏鸟还是寻觅丢失的伙伴？它扇动的翅膀，缓慢、有力、富于节奏，好像慢镜头里的飞鸟。它身体疲惫而内心顽强。它像一个昂扬而闪亮的音符在低调的旋律中穿行。

我心里忽然涌出一些片段的感觉，一种类似的感觉；那种身体劳顿不堪而内心的火犹然熊熊不息的感觉。

后来我把这只鸟，画在我的一幅画中。

所以我说，绘画是借用最自然的事物来表达最人为的内涵。这也正是文人画首要的本性。

二

画又是画家作画时的心电图。画中的线全是一种心迹。因为，唯有线条才是直抒胸臆的。

心有柔情，线则缠绵；心有怒气，线也发狂。心境如水时，一条线从笔尖轻轻吐出，如蚕吐丝，又如一串清幽的音色流出短笛。可是你有情勃发，似风骤至，不用你去想怎样运腕操笔，一时间，线条里的情感、力度、乃至速度全发生了变化。

为此，我最爱画树画枝。

在画家眼里树枝全是线条；在文人眼里，树枝无不带着情感。

树枝千姿万态，皆能依情而变。树枝可仰，可俯，可疏，可繁，可争，可倚；唯此，它或轩昂，或忧郁，或激奋，或适然，或坚韧，或依恋……我画一大片木叶凋零而倾倒于泥泞中的树木时，竟然落下泪来。而每一笔斜拖而下的长长的线，都是这种伤感的一次宣泄与加深，以致我竟不知最初缘何动笔？

至于画中的树，我常常把它们当做一个个人物。它们或是一大片肃然站在那里，庄重而阴沉，气势逼人；或是七零八落，有姿有态，各不相同，带着各自不同的心情。有一次，我从画面的森林中发现一棵婆娑而轻盈的小白桦树。它娇小，宁静，含蓄；那叶子稀少的树冠是薄薄的衣衫。作画时我并没有着意地刻画它。但此时，它仿佛从森林中走出来了。我忽然很想把一直藏在心里的一个少女写出来。

三

绘画如同文学一样，作品完成后往往与最初的想象全然不同。作品只是创作过程的结果。而这个过程却充满快感，其乐无穷。这快感包括抒发、宣泄、发现、深化与升华。

绘画比起文学有更多的变数。因为，吸水性极强的宣纸与含着或浓或淡水墨的毛笔接触时，充满了意外与偶然。它在控制之中显露光彩，在控制之外却会现出神奇。在笔锋扫过之地方，本应该浮现出一片沉睡在晨雾中的远滩，可是感觉上却像阳光下摇曳的亮闪闪的荻花，或是一抹在空中散步的闲云？有时笔中的水墨过多过浓，天空的云向下流散，压向大地山川，慢慢地将山顶峰尖黑压压地吞没。它叫我感受到，这是天空对大地惊人的爱！但在动笔之前，并无如此的想象。到底是什么，把我们曾经有过的感受唤起与激发？

是绘画的偶然性。

然而，绘画的偶然必须与我们的心灵碰撞才会转化为一种独特的画面。

绘画过程中总是充满了不断的偶然，忽而出现，忽而消失。就像我们写作中那些想象的明灭，都是一种偶然。感受这种偶然是我们的心灵。将这种偶然变为必然的，是我们敏感又敏锐的心灵。

因为我们是写作人。我们有着过于敏感的内心。我们的心还积攒着庞杂无穷的人生感受。我们无意中的记忆远远多于有意的记忆；我们深藏心中人生的积累永远大于写在稿纸上的有限的素材。但这些记忆无形地拥满心中，日积月累，重重叠叠，谁知道哪一片意外形态的水墨，会勾出一串曾经牵肠挂肚的昨天？

然而，一旦我们捕捉到一个千载难逢的偶然，绘画的工作就是抓住它不放，将它定格，然后去确定它、加强它、深化它。一句话：

艺术就是将瞬间化为永恒。

四

纯画家的作画对象是他人；文人（也就是写作人）作画对象主要是自己。面对自己和满足自己。写作人作画首先是一种自言自语、自我陶醉和自我感动。

因此，写作人的绘画追求精神与情感的感染力；纯画家的绘画崇尚视觉与审美的冲击力。

纯画家追求技术效果和形式感，写作人则把绘画作为一种心灵工具。

五

一阵急雨沙沙有声落在纸上。那是我洒落在纸上的水墨。江中的小舟很快就被这阵蒙蒙雨雾所遮翳，只有桅杆似隐似现。不能叫这雨过密过紧，吞没一切。于是，一支蘸足清水的羊毫大笔挥去，如一阵风，掀起雨幕的一角，将另一只扁舟清晰地显露出来，连那个头顶竹笠、伫立船头的艄公也看得分外真切。一种混沌中片刻的清明，昏沉里瞬息的清醒。可是，跟着我又将一阵急雨似淋漓的水墨洒落纸上，将这扁舟的船尾遮蔽起来，只留下这瞬息显现的船头与艄公。

我作画的过程就像我上边文字所叙述的过程。我追求这个过程的一切最终全都保留在画面上，并在画面上能够体验到，这就是可叙述性。

写作的叙述是线性的，过程性的，一字一句，不断加入细节，逐步深化。

这里，我的《树后边是太阳》正是这样：大雪后的山野一片洁白，绝无人迹。如果没有阳光，一定寒冽又寂寥。然而，太阳并没有隐遁，它就在树林的后边。虽然看不见它灿烂夺目的本身，但它无比强烈的光芒却穿过树干与枝桠，照射过来，巨大的树影无际无涯地展开，一下子铺满了辽阔的雪原。

于是，一种文学性质需要说明白，就是我这里所说的叙述性。它不属于诗，而属于散文。那么绘画的可叙述也就是绘画的散文化。

六

最能寄情寓意的是大自然的事物。

比如前边所说树枝的线条可以直接抒发情绪。

再比如，这种种情绪还可以注入流水。无论它激扬、倾泻、奔流，还是流淌、潺缓、波澜不惊，全是一时的心绪。一泻万里如同浩荡的胸襟；骤然的狂波好似突变的心境；细碎的涟漪中夹杂着多少放不下的愁思？

至于光，它能使一切事物变得充满生命感，哪怕是逆光中的炊烟，一切逆光的树叶都胜于艳丽的花。这原因，恐怕还是因为一切生命都受惠于太阳，生命的一切物质含着阳光的因子。比如我们迎着太阳闭上眼，便会发现被太阳照透的眼皮里那种血色，通红透明，其美无比。

还有秋天的事物。一年四季里，唯有秋天是写不尽也画不尽的。春之萌动与锐气，夏之蓬勃与繁华，冬之萧瑟与寂寥，其实也都包括在秋天里。秋天的前一半衔接着夏天，后一半融入冬天。它本身又是大自然最丰饶的成熟期。故此，秋的本质是矛盾又斑斓，无望与超逸，繁华而短促，伤感而自足。

写作人的心境总是百感交集的。比起单纯的情境，他们一定更喜欢唯秋天才有的萧疏的静寂，温柔的激荡，甜蜜的忧伤，以及放达又优美的苦涩。

能够把一切人生的苦楚都化为一种美的只有艺术。

在秋天里，我喜欢芦花。这种在荒滩野水中开放的花，是大自然开得最迟的野花。它银白色的花有如人老了的白发，它象征着大自然一轮生命的衰老吗？如果没有染发剂，人间一定处处皆芦花。它生在细细的苇秆的上端，在日渐寒冽的风里不停地摇曳。然而，从来没有一根芦苇荻花是被寒风吹倒吹落的！还有，在漫长的夏天里，它从不开花，任凭人们漠视它，把它只当做大自然的芸芸众生，当做水边普普通通的野草。它却不在乎人们怎么看它，一直要等到百木凋零的深秋，才喷放出那穗样的毛茸茸的花来。没有任何花朵与它争艳。不，本来它的天性就是与世无争的。它无限的轻柔，也无限的洒脱。虽然它不停地在风中摇动，但每一个姿态都自在，随意，绝不矫情，也不搔首弄姿。尤其在阳光的照耀下，它那么夺目和圣洁！我敢说，没有一种花能比它更飘洒、自由、多情，以及这般极致的美！也没有一种花比它更坚韧与顽强。它从不取悦于人，也从不凋谢摧折。直到河水封冻，它依然挺立在荒野上。它最终是被寒风一点点撕碎的。

在这永无定态的花穗与飘逸自由的茎叶中，我能获得多少人生的启示与人生的共鸣？

七

绘画的语言是可视的。

绘画的语言有两种。一是形式的，一种技术的。中国人叫做笔墨；现代人叫做水墨。

我更看重笔墨这种语言。

笔作用于纸，无论轻重缓急；墨作用于纸，无论浓淡湿枯——都是心情使然。

笔的老辣是心灵的枯涩，墨的溶化是情感的舒展；笔的轻淡是一种怀想，墨的浓重是一种撞击。故此，再好的肌理美如果不能碰响心里事物，我也会将它拒之于画外。

文学表达含混的事物，需要准确与清晰的语言；绘画表达含混的事物，却需要同样含混的笔墨。含混是一种视觉美，也是我们常在的一种心境。它暧昧、未明、无尽、嗫嚅、富于想象。如果写作人作画，便一定会醉心般地身陷其中。

八

我习惯写散文时，放一些与文章同种气质的音乐做背景。

那天，我在写一只搁浅于湖边的弃船在苦苦期待着潮汐。忽然，耳边听到潮汐之声骤起。当然这是音乐之声，是拉赫马尼诺夫的音乐吧！我看到一排排长长的深色的潮水迎面而来。它们卷着雪白的浪花，来自天边，其速何疾！一排涌过，又一排上来，向着搁浅的小船愈来愈近。雨点般的水点溅在干枯的船板上，扬起的浪头像伸过来的透明而急切的手。音乐的旋律一层层如潮地拍打在我的心上。我紧张地捏着笔杆，心里激动不已，却不知该怎么写。

突然，我一推书桌，去到画室。我知道现在绘画已经是我最好的方式了。

我把白宣纸像月光一样铺在画案上，满满地刷上清水。然后，用一枝水墨大笔来回几笔，墨色神奇的洇开，顿时乌云满纸。跟着大笔落入水盂，笔中的余墨在盂中的清水里像烟一样地散开。我将一笔极淡的花青又窄又长地抹上去，让阴云之间留下一隙天空。随即另操起一支兼毫的长锋，重墨枯笔，捻动笔管，在乌云压迫下画出一排排翻滚而来的潮汐……笔中的水墨不时飞溅到桌上手背上；笔杆碰在盆子碟子上叮当有声。我已经进入绘画之中了。

待我画完这幅《久待》，面对画面，尚觉满意，但总觉还有什么东西深藏画中。沉默的图画是无法把这东西"说"出来的。我着意地去想，不觉拿起钢笔，顺手把一句话写在稿纸上：

"人生的大部分时间就像钓者那样守着一种美丽的空望。"

跟着，我就写了下去：

"期望没有句号。"

"美好的人生是始终坚守着最初的理想。"

"真正的爱情是始终恪守着最初的誓言。"

"爱比被爱幸福。"

于是，我又返回到文学中来。

我经常往返在文学与绘画之间，然而这是一种甜蜜的往返。

二〇〇二年五月六日　天津

一九九一年在上海美术馆举办画展时，应《文汇报》之邀，与谢稚柳、方增先笔会。

文人的书法

文人书法的历史要比文人画的历史长。

文人用毛笔、墨和宣纸写文章，很容易就对书写的审美有了兴趣。书法的艺术便蕴寓其中。

文人以文章抒发心志，其书法天生具有挥洒情感、一任心灵的性质，故此文人书法是以个性为其特征。文人性格彼此迥异，有一千个擅长书法的文人，就有一千个相去千里的书法面貌。故此文人书法风格都不是刻意追求的。

但是，在篆隶时代，字体规范严格，限制了个性的发挥，文人书法未能形成。到了行草时代，字体走向自由，张扬个性的文人书法便应运而生。此后文人书家所写的篆隶，也就融进了个人的意蕴与性情了。

文人的书法，向例是不拘法矩。情之所至，笔墨奋发。文字原本是表达与宣泄心灵的工具。工具缘何反过来要限制心灵？故此文人进入书法，天地突然豁朗；一无牵绊，万境俱开。

同时，文人不屑于书写别人的话语。言必己出，乃是书法之根本。每每心有难奈之语，或有灵性之句，捉笔展纸，书写出来。笔笔自然都是发自性灵的心迹，字字都是情感乃至情绪的形态。这样的书法，才是有魂的艺术。

历史地看，文人涉入书法，乃是文化的注入。于是，翰墨的世界，不仅奇花异卉争相开放，书法的底蕴更是走向雄厚深邃。但如今，文人著书立说的工具已经改成钢笔和圆珠笔，很多文人撤离书坛，亦文亦书者毕竟不多，文人书法该向何处去，我以为，文人书法已然历史地落到书家身上。

然而今之书家，是否亦有这般所思所想？

二〇〇三年四月

绘事自述

我天性喜画，画在文先。上世纪七十年代末一系列伤痕小说发表之前，已有十五年丹青生涯。由于世人知我多缘自文学，故以为我先文后画。这里执意加以说明，是因为我后来的写作常常运用画家特有的视觉思维。

自我操弄笔墨，至今五十年。虽有时全心写作，有时倾心于文化遗产保护；然丹青之恋，犹然未已，时断时续，不曾放弃。我曾在旧金山举办画展时，做过一个演讲，题目叫做"绘画是文学的梦"，以表达我对这种可视的缤纷的创造之向往。由于大多数听众是文学爱好者，很少有人听懂我所言之深意。

数十年来，我的绘画可分做前后两个阶段。

前一阶段始于上世纪六十年代初。那时以摹制宋代北宗诸大家画作为生，得以钻研古人的画理画技，其中偏爱范宽、郭熙、刘松年、马远、夏圭和张择端。于是侧锋的斧劈皴斫和中锋的长线勾勒深刻地记忆在我的笔管里。同时，注重师法造化，常常肩背画夹，外出写生，近及京西蓟北，远赴岱宗太行，这一阶段绘画追求时代山水与传统审美的融合。可惜画作多毁于"文革"与地震，残剩寥寥。

"文革"间，艺术几近灭绝，个人偶动画笔，发于兴趣而已。一九七八年新时期崛起，心中拥塞欲吐之言，跨入文坛，即卷进新时期文学激流中。一时笔锋如火山口，炽烈迸发喷涌，十年中写作数百万字，自然与画疏离，且渐行渐远。这段岁月，应是我个人画史的一段非常的空白。

后一阶段始于一九九〇年。由于时代变迁，放慢写作，静心于书斋中定神苦思，总结以往，忽有画兴，来之甚猛。这迅猛之势源于情感，发于心也。

谁料心中的丹青竟不可遏止，阔别的水墨更是焕然一新。那时，忙于在京、津、沪、渝、鲁、甬等地，继而到美国、奥地利、新加坡和日本等国举办画展；日后反省，才明白原来多年来作家抒写心灵的思维方式，使我不自觉地进入了真正的文人画范畴。如果说，我的前一阶段是画家画，后一阶段则是文人画。当然，我的画不是古来已成定式的文人画。这便招来对我画风的其说不一。正像当年《神鞭》问世，有称传奇小说，有称津味小说，或称武侠小说、荒诞小说、文化小说等等，众说纷纭，莫衷一是。那时的报章有称我的画为"作家画"，有称为当时画坛盛行的"新文人画"，却又嫌在画风上相去甚远，一时难下定论。我在日本东京举办画展时，平山郁夫先生撰文称我的画为"现代文人画"。我觉甚好，在接受他的概念的同时，也引起我的思考：何谓"现代"的文化人画？我的自我总结，是我的画不像古人那样崇尚诗性，而是追求散文性。诗是在点状的凝聚，散文是线性的叙述。我追求绘画的内涵与意境能够像散文那样可以叙述。而散文更接近现代人。

中西绘画最大的区别不是形式，而是精神内涵的不同。中国画讲文学性。中国画家所说的意境简而述之：意就是文学的意味，境就是可视的空间境象；二者相合即为意境。可以说，意境二字是对文学与绘画融为一体的高度升华与提炼。

然而，在我将"现代文人画"明确作为绘画目标时，全球化和现代化对城市历史文化遗存的冲击，牵动我心。我于一九九四年开始举行一系列的大规模城市遗产拯救行动；自二〇〇二年又发起全国性的民族民间文化遗产的紧急普查与抢救。由于许多行动属于民间性质，必需倾注全力，故我在文章中的呐喊来自我写作的笔，我的经费来自我的绘画。我在一篇文章《为周庄卖画》中，写下这种伴随我近二十年的卖画行为的缘起。

尽管绘画的成果多化为文化保护的支撑，绘画的过程却贯穿我的艺术思考与追求。文人画及其当代性已是我致力的方向，一己性情始终是作画的驱动力，审美的发现常常是一种灵感，自我寻找是我终极的追求。既不能向古代的文人画既定的笔墨中寻找感觉，又要保持唯中国文人才有的精神方式，这中间的道路只留给具有个性魅力的人去开掘。我不知道能否做到，却知道应该怎样去做。

在这后一阶段（一九○○年至二○一○年）中，唯一的变化是，二十世纪九十年代的画幅较大，二十一世纪前十年的画幅都较小。这大概是我把较多的时间都支付给巨大而无边的文化遗产保护的事业，同时也说明绘画是我终生不能放弃的了。因为我说过，文学（包括文化）于我是一种责任方式，绘画于我是一种生命方式。绘画不能像文字那样具体地记录生命的内容，却能直观的逼真的保存下生命的形态。

这恐怕是我对文人画最本质的理解了。

本画集是我五十年绘画的一种总结。虽然图版皆是后一阶段的"现代文人画"。然而，我将前一阶段经历"文革"、损毁殆尽的"劫后残余"的些许资料，尽可能地作为历史依据附在集中。为使内含充分，还收录了几位中外学者评述我的文章和绘画观方面的自我表述，以及个人的大事记等等。应该说，我尽量使这部画集具有一定的档案性。

我绘画的道路还长，凡长途远行者，走上一段总要回过头来看一看，鼓励自己，亦校正自己，以利前行是也。

二○一○年六月

砚农自语

　　我被迫成为作家，却天生一个画家。此中缘故，曾在一篇《命运的驱使》中述及。这里只谈我的绘画经历，亦我与绘画的一段因缘是也。

　　我自幼酷爱绘画。未识字之前，便将心中种种故事画成图像，涂鸦于各处，固然惹人生厌，却见形象之想象乃我先天之素质。上学后，各科作业成绩平平，唯美术课分数始终居于全班之首。美术教师视我为天才，各科教师皆摇头叹息。看来"天才"都是有缺欠的人——君看到此处，不妨一笑了之。

　　我祖籍宁波，世代为商，不重艺术。家中人皆与书画无缘。然母亲一族，沾染书香。其家在山东济宁，地旷人稀，山水交错，文化独异。外祖父为官宦，与康有为等人过从甚密，辟城角荒地为园，堆石栽木，以笔墨相娱，故我家所藏康有为信手所书手卷条幅竟有数十之多。外祖母来自苏州，性情清雅，好书嗜读，有过目成诵的本领。我一位姨娘，名叫戈长立，自小从师学习指画，禀赋非常，可惜由于参加革命党而被杀害于南关太白楼下，时年仅三十岁。我曾在舅父家见到她的两幅未托裱的水墨花卉，四尺条幅，水墨酣畅，其势豪迈；所画阔笔芭蕉，笔笔力透纸背，颇具男子气概，由此可以寻到她投身革命党的性格缘故。尽管我家壁上悬挂着张大千、溥心畬、齐白石等名家字画，但都不及她的画深入我心。血缘甚于笔墨缘，血缘更结笔墨缘。至今每每追溯自己涉入丹青的源头，总会出现这位才华横溢却不幸早夭的奇女子的影子。

　　我在中学时代，一直是学校美术组组长。在校多画素描、速写、水彩和水粉画，寒暑假间却向两位国画家学习中国画。一位是严仁统（六符）先生，家居津门，是近代教育家严范孙的后裔。曾从师刘子久，擅长北宗山水，尤精小斧劈皴。严先生本人不事创作，亦很少宏幅巨制。画皆小品，几树一石而已。但画法考究，程式清晰，勾皴点染，技术通透，宛如活的《芥子园画传》，因使我入学国画即未走上歧路，并得到实用的技法。另一位是惠均 (孝同) 先生，人在京都，我与他为远亲，逢到暑期便住到他家，入室学习。惠孝同先生为金绍城 (北楼) 弟子，并为湖社画会的成员，按照湖社的规矩以拓湖为号。他精研古代技法，工于南宗小青绿山水，风格清新灵秀，与严六符苍劲厚重的北方画风，恰好是南北相峙，迥然大异。我从二位老师那里兼得二法，事尽两极，真是受益匪浅。

我师惠孝同先生又是收藏大家，因藏有宋代王诜《渔村小雪图》、吕纪《四喜图》等而闻名海内。先生家在王府井闹市中一条弯曲的胡同深处，画室设在北房，阳光从大窗射入，晒得卷帙画轴，清香四溢。记得先生天天叫我坐在案前，使用上好的日本圆丝绢和方于鲁的墨锭，临摹一幅风格颇似郭熙的宋人《寒林图》，先生则站立一旁，指点郭氏云头皴与蟹爪树的秘要。以致使我至今犹然提笔即能画出那种"长松巨石，回溪断崖，岩岫奇绝，云烟变灭"的郭氏山水来。

我家有《故宫周刊》全套合订本。虽是三四十年代影印本，却印制精良。故宫所藏历代书画珍品尽在其中，这便成了我早期习画最关键的范本，许多名画都反复临摹仿制过，如荆浩《匡庐图》、郭熙《早春图》《溪山行旅图》、夏圭《长江万里图》、范宽《万壑松风图》、刘松年《四景山水图》、戴进《雪景寒林图》，等等。一九九五年到台北故宫博物院见到这些真迹时，就像见到昔时稔熟者之照片，亲近之情，不可言状。

我自高中毕业后，报考中央美术学院中国画系，初试顺利通过，试官欣赏备至，录取已成定局，但因出身缘故不准复试，登上高等学府的愿望遂成泡影。后来得识几个当年被录取的学生，皆是庸才。我却从此落魄到一家"国画生产组"，以复制古画为生。然而，当年所学的古代技法被派上了用场。我所摹制之作，多为马远、夏圭、刘松年、郭熙、王诜、王谔等北宗山水，以及大量宋人小品；偶亦摹写宋元风俗画作，如苏汉臣《货郎图》与张择端《清明上河图》。此种职业于我也有益处，即可深入学习古代艺术。中国画最重三样：经验、程式与功力。而把握技法是其根本。至于技法之精熟，运笔之老到，一招一式是否考究，全在长期的钻研与磨炼之中。比如，张择端的《清明上河图》，整卷画皆用秃笔勾线，天然战笔，笔简且精，无一笔多余，且苍厚生动。我摹写此作，则用香头烧去笔尖虚毫，行笔时努力使笔锋与绢画摩擦，以生苍涩之意味。此图长五丈余，人物五百余，舟车、房舍、器物、牲畜等数不胜数。我画过一卷半，半卷至今仍在手中，那一整卷却被一位来自美国的友人好言索去。然画过此图，腕间所获，心中有数耳。

我虽爱摹写古画，更倾心于表现自我心中感受。奔赴各处写生之外，常常画心中幻求之境象。我自二十岁已在报刊发表画作，也写些画评画论，刊行报端。为了通读典籍与识认款题，拜吴玉如（家禄）为师，研习古代诗文。思图成就一位国画大家，乃我青少年时最大愿望。并为此倾注全力，终日习画，手不离笔，以至无名指内侧硬被磨出蚕豆大小一块硬茧。

我是"文革"受难者之一。这些经历已见诸多种书籍文章，此处不再叙述。然"文革"间古画被视为四旧，列在应被"砸烂"之类，我所在的"国画生产组"被改为塑料花工厂，我的专职改做接洽业务，绘画全然成了业余的事。但那时生活之沉重与艰难，至今不肯随口道来。直到一九七五年我被调入一所美术学校任教，学生是一些工厂的美术设计，我教授中国画和美术理论，因得以理清绘画的技法理论。但此时极为短暂，倏然"文革"结束。时代骤然巨变，生活翻天覆地，我因命运的驱使，以文为民代言，转向文坛。日日所思所想，压迫笔杆，不敢懈怠。不觉之间，渐渐疏离丹青，一别竟是十余年。

我于九〇年初，放慢写作，定心静思，总结以往。在对自己的文学调整间，忽然来了画兴。心中毫无准备，绘画的情感竟如山洪暴发，江流倒泻，汪洋恣肆，势不可遏，常常睡觉间被一种突发的画境惊起。一连数日，画百幅图，竟出版厚厚一本画集。奇怪的是，虽然封笔多年，笔墨却依然流畅，得心应手，而心中想象汩汩无穷，挥毫即成画图。后来才觉悟到，此皆文学境象也。为使读者见到我这种"可视的文学"，我于九一至九二年，先后在天津、济南、上海、宁波、重庆和北京举办六次大型画展。每次展览作品百余幅，观众热烈，超乎想象。在北京中国美术馆展览期间，曾宣布在国内画展暂停。由九三年转向海外，应邀先后赴奥地利、新加坡、日本、美国等地举办大型个人画展。兼出版画集多种。如此紧迫繁忙中，我常有一种奇异的感觉，是否又重返画坛乎？

我虽写了几篇文章，论及此种"文画相映"的美感和"文画并举"的两难，但如今我正当盛年，体魄尚健，精力充沛，人生甚丰，自当是先文后画。写作需要更强的体魄与精力，若不动手著作大书，将来必悔而晚矣！但这只是理性而聪明的决断，我天性从来都是感情用事，文乎画乎，听天由命罢。

一九九七年一月五日　天津

我与故宫　深远的情缘

我最初接触中国画，源于家中的一套画集《故宫周刊》。这原本是故宫博物院编印的一种散装的画页，后来装订成册，厚厚的近二十集。黑色的漆布封面，烫着金字。里边有图有文。图片很精美，全是用故宫藏品照片影印的，文字是对这些罕世古物的考证或评介。父亲买了这套大型的画集，整整齐齐摆放在一楼客厅玻璃茶几的下边一层，原是给客人们随手翻一翻的。然而父亲务商，来串门的大都是商人，对这种印满古董字画的书全无兴趣，这套画集便成了客厅的一种特殊而深奥的饰物。可是，谁料它日后唯一的读者竟是我，我最初习画的范本，并非《芥子园画传》和《南画大成》，而就是这套将故宫珍藏的艺术极品包揽尽致的大画集。

我的启蒙老师名叫严仁统（六符），他是近代实业与新学有力的推动者严修（范孙）之子。他从来不事创作，故而在画坛上没有名气，但他的传统的笔墨技法十分规范和讲究，极适于教学。严六符师承刘子久，取法于宋人的北宗画法。宋人的作品大半藏于故宫。于是，刊在《故宫周刊》上的荆浩、范宽、李成、燕文贵、郭熙、马远、夏圭的作品以及苏汉臣的《货郎图》等，我都临摹过。我的一些画友都羡慕我家藏的这套画册。不仅由于画册昂贵，而是因为《故宫周刊》出版于三四十年代，上边刊载的画在一九四九年都被搬到台湾去了。此后若想在内地上见到这些画，就只有看《故宫周刊》。我很珍惜自己的这笔"财富"，临摹起来也十分认真。《故宫周刊》上的画全不标明原作尺寸，所以我只在画幅的大小上则随意为之，而内容与画法一律追摹原作，不敢率意为之。临摹是中国人钻研传统、掌握基本功必须的手段。

只有在临摹时，才能真正进入先人的画中；所以中国画的鉴定，如果鉴定者本人不会画画，或不曾临摹过古画，便很难成为一位真正的好的鉴定家。

对于青少年时代的我，故宫这些藏品乃是世上最精美的一份精神食粮。我常常陷入这些无比迷人、千姿万态的画境里，享受无尽，快乐无穷。以致后来我在台北的故宫博物院见到这些画的真迹时，好像一下子见到昔时最要好的伙伴，它们全都热烘烘扑到我的身上。我惊奇地发觉，我竟然记得它们"身上"每一个微小的特征与细节，甚至连一些关键的笔法居然也清晰地记着。这感觉之美妙真是无与伦比！

如今故宫的藏画分做两部分。一部分藏在台北，这在前面已说了；一部分在北京故宫。北京故宫的藏品，其中一些是原来的收藏，国民党撤离内地时没有来得及搬走而遗留下来的；一些是溥仪带到东北后，流散四处，即所谓的"东北货"，新中国成立后又征集回故宫的；还有一些购自民间。

我的一位远亲惠孝同（字均，号拓湖），是位画家、鉴赏家兼大藏家。六十年代初，我上中学时，逢到暑假，便去北京住在他家——王府井的大甜水井胡同内，向他习画。惠孝同宗法董源和巨然，属于南宗。尤擅长小青绿画法。他能将青绿染得满纸浮翠泛碧，清雅得很。由于他家是旗人，祖上为皇家的内务府总管，家底深厚，惠先生又懂画，收藏更是十分厉害。如王诜的《渔村小雪图》、吕纪的《四喜图》和郭熙的《寒林图》等都为他所珍藏。现在这些画已是故宫的国宝级藏品。惠先生对我十分垂爱，居然叫我在他的画室内临摹这些宋人的原作。他将这些画悬挂于壁，叫我对临。并拿出日本的圆丝绢，还有一块明人方于鲁的墨供我使用。我俯案摹写，先生站在我身旁指点。阳光从阔大的南窗射入，将房中的楠木书架和满架的古书晒得幽香盈室，其中还混合着古墨的香味……这事虽然已隔四十年，但我每每想起，心中犹然激动不已。临摹原作和印刷品全然不同。原作神形兼备，印刷品有形无神。在原作上可以感受到画家那种生命的气息，然而到了印刷品上，这感觉就荡然无存了。特别是在临摹王诜与郭熙这两位相近又相异的大师的真迹时，我如同见到两位大师本人——真切地体会到他们不同的性格与气质。尤其是临摹画中寒林的那些枝干时，表面看它们全都一样的清健劲秀；然而郭熙在收笔时，不露锋毫；王诜却有力又洒脱地一甩腕子，锋芒毕现。于是一个含蓄而凝重，一个外向与清锐；个自性情，迥然殊别。由此，我懂得临画必对原作。于是日后再临摹古画，必设法去看原作。故此，故宫是非去不可——也是常去的地方了。

自五十年代末，故宫博物院将其征集到的藏品之精华，不断印成画页与画集。我每每被吸引住，意欲临摹，便去故宫看原作。比如临张择端的《清明上河图》，我去故宫不下十余次。倘不看原作，绝对不会知道那种用来勾勒人与物的细微又带些拙劲的线条是用秃笔画的。于是回来就将一支新的蟹爪笔或红毛笔的虚尖搞掉。初时，我用火柴的余烬将虚尖烧去，但烧掉虚尖的笔锋是齐刷刷的，虽然粗细适度，线条却无味道。后来就改在粗硬的草板去磨掉虚尖。往往一支笔要一连磨上几天，这才渐渐磨出那种秃笔老到的意味来。

然而故宫的名画并不是总都摆在那里的，展品要常常更换。往往乘车由天津奔到北京，想看某一幅画，待钻进故宫，却扑了空。但这也不是白白跑腿。每来一趟，便将展出的藏画看一遍。故宫的展品向来是按年代顺序排列的。沿着绘画馆那长廊式的展室，弯弯曲曲走下来，一边一幅幅地欣赏，真像在绘画历史的长河中漂流而下，一路饱览两岸的胜景与奇观。时时被惊得眸子发亮，心中发出阵阵无声的惊叹。

在一千多年的绘画史中，给我最深刻印象的，一是那些以往的大师们迷人的个性与绝世的才华，一是艺术史的嬗变中那种改朝换代和改天换地的创造精神。尤其是后者。我惊讶于这种突兀地呈现出来的耳目一新的面貌，钦佩这种开天辟地或横空出世般的创造天才。而艺术史的魅力不就是这些开创者显现出来的么？

所以，今天我在写这本关于故宫藏画的小书时，我便以此为内在的骨架与主线——那就是艺术的嬗变史，包括绘画语言乃至技术的"革命"史。我想，在向读者阐释这些照耀古代的艺术瑰宝时，还要使读者了解到中国绘画史的进程中，哪些人物是这历史的推动者，哪些人物使绘画史阶段性的翻然一变，焕然一新，以及这些人物功绩具体之所在。还有，在这浩如烟海的传世之作中，哪些作品应当放在我们心中的圣殿里。

　　能使我做到这一切的,首先由于故宫的收藏之富。我想,在中国——当然就是在世界上——能够用藏品完整展示出中国绘画史的变迁及最高水平的,只有故宫博物院。此外,我这么做,还根由于我与故宫那个近半个世纪的缘分,那个源自《故宫周刊》的深远的情缘。在这情缘中,既有一种人生的意蕴,也有文化上的深情。有了这两样,我动起笔来,畅快之极,尽兴之至。这应是我一次尽情尽意又尽致的写作。是为序。

二〇〇一年六月

一九九二年秋在中国美术馆前。

台北故宫看画小记

去台湾前，友人们见我便说："一定要看看台北的故宫呀。"这"故宫"是"故宫博物院"的简称。

我连连点首说是。这之中另有一层缘故，便是少时习画，手中有一套家藏的《故宫周刊》。故宫所藏的书画珍玩，都印在上边。这套画集几乎被我翻烂。不少名画不但如印脑海，还一遍遍摹写于手下。这些画大都在一九四九年被搬到台湾，看不到真迹，只能从这印成巴掌大小的画面中领略原作的精神。"文革"后，此画集又被闯入者付之一炬。那些画便从此诀别，全然化为一片美丽又迷离的梦了。

眼睛看不见的，只有靠心来看。凡是靠心来看的大多是消失的事物。谁想到它还能返回到眼前？

到了台北，自然是急切切寻得故宫的大门便一头扎进去。今年正值故宫博物院七十周年大庆，海峡两岸故宫同庆吉日，都将珍存国宝悉数捧出；台北故宫展出的是它庋藏最丰的宋人绘画，这便使我得以尽览历时千载、与日月同辉的东方杰作。

走入展馆，所有我曾经迷恋的、临摹过的、印在《故宫周刊》上的那些名画的原作，都一幅幅挂在这里。边走边停边看，过往的岁月便悄悄地令人感动地来到身边。原来艺术中也有时光隧道。一时连易培基题写"故宫周刊"那几个歪歪斜斜的字也从记忆深处跑出来。一幅幅画都像少时好友们的脸，此刻仿佛放大了，施了色彩，清清楚楚呈现面前。远去的事物之所以朦胧模糊，都因为细节的遗忘。现在画上历历的细节唤醒了几乎忘却的往日习画的情景。

一时连当年运笔时美妙的感觉也隐隐生于指间与腕底。是不是由此还会联想到那时的画桌，一方紫石砚，半块万年青，几枝李福寿制作的叶筋笔和白云笔，长笔与短笔，新笔与秃笔……还有室内晦明又迷人的光线？对于艺术品，看原作和看印刷品截然两样。画是画家心灵挥洒的立体的空间，是浪漫想象的天空，也是画家意兴与才情的神气十足的呈现。这一切只能从原作中感受到。画家作画时，他生命的跃动，情致的状态，心绪的流变，一律通过笔墨，深深透进纸的纤维；画就成了生命的一种载体。它所承载的生命的气息，你的目光全能从这原作的画面上摸索到。如果把它拍成照片，印在画册上，自然精神全无了。这便是为什么当初我从《故宫周刊》上只感觉到"至美"，而现在从原作中才体会到"至真"的缘故。尤其是贾师古的《岩关古寺》，我曾多次从《故宫周刊》上摹习过，这一次见到原作，简直是受到了震撼！尺方一帧，苍雄刚劲，气吞千里。那山石不用皴擦，全使笔锋削斫，宛如利斧剁石，细看每一笔似乎都用了千钧之力，铿锵干脆，非此不能达到满幅画面的坚硬之感。这是当初在印刷品中绝得不到的体验。于是想起中学时代在京师惠孝同先生家临摹宋人《寒林图》和王诜《渔村小雪图》的真迹时，惠先生再三说："临画必临原作。"始信此话是一真理。世上的真理有大有小，大真理可望而不可即，小真理则应该牢牢抓在手中。

看到此时，已觉自己不是在宋画之中，而在身在宋人的精神天地里。中国绘画始唐至宋，社会进步，生活充裕，艺术家很少避世的向往，多做现实的参与，因对人间故事充满兴趣，画法则趋向写实。然而宋人的写实并非客观冷静，而是充满主观热情，于是宋画对大千世界、人间百态、世上万物，无不关注，无不亲爱，无不描绘得精妙真切。我不由得对同来参观的北京画家王明明与詹庚西说："宋人已经把写实手法发展到极致了，逼得元人只好走走写意的路子。"

从宋人的绘画中，我们已经看到了自从元代画风骤变的根由。

当一个时代把一种流行的审美，一种美妙的方式，一种大众宠爱、令人痴迷的形态，发挥到了无以复加、到了尽头，事物便会折返回来，向相反的全然不同的天地走去。但人类不会简单地重复这种往返。每一次看似重返，看似复旧或复古，实际上都注入了自己时代的成分。这成分中包含着一种精神的新需求，一种从变换的角度里去获得新发现的渴望，一种在更新中创造的追求。正像意大利文艺复兴运动所表现的那样。艺术史家的使命则是从这时代的新成分中，去寻找人类前行的足痕……

哎，如果我们每次看画，都能获得比画的本身多得多的东西，那么看画该是件多有意味的事啊！

一九九五年十一月二十八日　《今晚报》首发

我与《清明上河图》的故事

冥冥中我感觉《清明上河图》和我有一种缘分。这大约来自初识它时给我的震撼。一个画家敢于把一个城市画下来，我想古今中外唯有这位宋人张择端。而且它无比精确和传神，庞博和深厚，他连街头上发情的驴、打盹的人和犄角旮旯的茅厕也全都收入画中！当时我二十岁出头，气盛胆大，不知天高地厚，居然发誓要把它临摹下来。

临摹是学习中国画笔墨技术的一种传统。我的一位老师惠孝同先生是湖社的画师，也是位书画的大藏家，私藏中不少国宝；他住在北京王府井的大甜水井胡同。我上中学时逢到假期就跑到他家临摹古画。惠老师待我情同慈父，像郭熙的《寒林图》和王诜的《渔村小雪图》这些绝世珍品，都肯拿出来，叫我临摹真迹。临摹原作与印刷品是绝然不同的，原作带着画家的生命气息，印刷品却平面呆板，徒具其形——此中的道理暂且不说。然而，临摹《清明上河图》是无法面对原作的，这幅画藏在故宫，只能一次次坐火车到北京故宫博物院的绘画馆去看，常常一看就是两三天，随即带着读画时新鲜的感受跑回来伏案临摹印刷品。然而故宫博物院也不是总展出这幅画。常常是一趟趟白跑腿，乘兴而去，败兴而归。

我初次临摹是失败的。我自以为习画从宋人院体派入手，《清明上河图》上的山石树木和城池楼阁都是我熟悉的画法，但动手临摹才知道画中大量的民居、人物、舟车、店铺、家具、风俗杂物和生活百器的画法，在别人画里不曾见过。它既是写意，也是工笔，洗练又精准，活脱脱活灵活现，这全是张择端独自的笔法。画家的个性愈强，愈难临摹，而且张择端用的笔是秃锋，行笔时还有些"战笔"，苍劲生动，又有韵致，仿效起来却十分之难。偏偏在临摹时，我选择从画中最复杂的一段——虹桥入手，以为拿下这一环节，便可包揽全卷。谁料这不足两尺的画面上竟拥挤着上百个人物。各人各态，小不及寸，手脚如同米粒。相互交错，彼此遮蔽；倘若错位，哪怕差之分毫，也会乱了一片。这一切只有经过临摹，才明白其中无比的高超。于是画过了虹桥这一段，我便搁下笔，一时真有放弃的念头。

我被这幅画打败！

重新燃起临摹《清明上河图》的决心，是在"文革"期间。一是因为那时候除去政治斗争，别无他事，天天有大把的时间；二是我已做好充分准备。先自制一个玻璃台面的小桌，下置台灯。把用硫酸纸勾描下来的白描全图铺在玻璃上，上边敷绢，电灯一开，画面清晰地照在绢上，这样再对照印刷品临摹就不会错位了。至于秃笔，我琢磨出一个好办法，用火柴吹灭后的余烬烧去锋毫的虚尖，这种人造秃笔画出来的线条，竟然像历时久矣的老笔一样苍劲。同时对《清明上河图》的技法悉心揣摩，直到有了把握，才拉开阵势，再次临摹。从卷尾始，由左向右，一路下来，愈画愈顺，感觉自己的画笔随同张择端穿街入巷，游逛百店，待走出城门，自由自在地徜徉在那些人群中……看来完成这幅巨画的临摹应无问题。可是忽然出了件意外的事——

一天，我的邻居引来一位美籍华人说要看画。据说这位来访者是位作家。我当时还没有从事文学，对作家心怀神秘又景仰，遂将临摹中的《清明上河图》抻开给她看。画幅太长，画面低垂，我正想放在桌上，谁料她突然跪下来看，那种虔诚之态，如面对上帝。使我大吃一惊。像我这样的在计划经济中长大的人，根本不知市场生活的种种作秀。当她说如果她有这样一幅画，就会什么也不要。我被深深打动，以为真的遇到艺术上的知己和知音，当即说我给你画一幅吧。她听了，那表情，好似到了天堂。

艺术的动力常常是被感动。于是我放下手中画了一小半的《清明上河图》，第二天就去买绢和裁绢，用红茶兑上胶矾，一遍遍把绢染黄染旧，再在屋中架起竹竿，系上麻绳，那条五米多长的金黄的长绢，便折来折去晾在我小小房间的半空中。我由于对这幅画临摹得正是得心应手，画起来很流畅，对自已也很满意。天天白日上班，夜里临摹，直至更深夜半。嘴里嚼着馒头咸菜，却把心里的劲儿全给了这幅画。那年我三十二岁，精力充沛，一口气干下去，到了完成那日，便和妻子买了一瓶通化的红葡萄酒庆祝一番，掐指一算居然用了一年零三个月！

此间，那位美籍华人不断来信，说尽好话，尤其那句"恨不得一步就跨到中国来"，叫我依然感动，期待着尽快把画给她。但不久唐山大地震来了，我家被毁，墙倒屋塌，一家人差点被埋在里边。人爬出来后，心里犹然惦着那画。地震后的几天，我钻进废墟寻找衣服和被褥时，冒险将它挖出来。所幸的是我一直把它放在一个细长的装饼干的铁筒里，又搁在书桌抽屉最下一层，故而完好无损。这画随我又一起逃过一劫。这画与我是一般寻常关系吗？

此后，一些朋友看了这幅无比繁复的巨画，劝我不要给那位美籍华人。我执意说："答应人家了，哪能说了不算？"

待到一九七八年，那美籍华人来到中国，从我手中拿过这幅画的一瞬，我真有点舍不得。我觉得她是从我心里拿走的。她大概看出我的感受，说她一定请专业摄影师拍一套照片给我。此后，她来信说这幅画已镶在她家纽约曼哈顿第五大街客厅的墙上，还是请华盛顿一家博物馆制作的镜框呢。信中夹了几张这幅画的照片，却是用傻瓜机拍的，光线很暗，而且也不完整。

一九八五年我赴美参加爱荷华国际笔会，中间抽暇去纽约，去看她，也看我的画。我的画的确堂而皇之被镶在一个巨大又讲究的镜框里，内装暗灯，柔和的光照在画中那神态各异的五百多个人物的身上。每个人物我都熟悉，好似"熟人"。虽是临摹，却觉得像是自己画的。我对她说别忘了给一套照片做纪念。但她说这幅画被固定在镜框内，无法再取下拍照了。属于她的，她全有了；属于我的，一点也没有。那时，中国的画家还不懂得画可以卖钱，无论求画与送画，全凭情意。一时我有被掠夺的感觉，而且被掠得空空荡荡。它毕竟是我年轻生命中整整的一年换来的！

现在我手里还有小半卷未完成的《清明上河图》，在我中断这幅而去画了那幅之后，已经没有力量再继续这幅画了。我天性不喜欢重复，而临摹这幅画又是太浩大、太累人的工程。况且此时我已走上文坛，我心中的血都化为文字了。

写到这里，一定有人说，你很笨，叫人弄走这样一幅大画！

我想说，受骗多半缘自一种信任或感动。但是世上最美好的东西不也来自信任和感动吗？你说应该守住它，还是放弃它？

我写过一句话：每受过一次骗，就会感受一次自己身上人性的美好与纯真。

这便是《清明上河图》与我的故事。

二○○五年十月八日

我的书法生活

我有两间工作室。一间书房，一间画室，屋门对开。写作间偶有妙思，或是佳句，旋即出书房，入画室，展白宣，运长锋，一挥而就，书法生矣！

笔墨是我的心灵器具。我不为书法而写，只为心灵而书。我的书法亦我的写作。还有一半是对笔墨美的崇尚。

故而，我从不临帖，但我读帖。我把古人当作崇高的朋友。我在与他们的神交之中，细品他们的品格、气质与精神。我不会照猫画虎地去"克隆"他们的一招一式。我以被人看出我师从何处为羞。我的书法只听命于我的精神情感。

倘有朋友约我书法，我不会提笔就写，立等就取。心无美文，情无所至，不会动笔。故而只是记住此事，慢慢等待内心的潮汐。倘若潮水忽来，笔墨随之卷入，辄必有一幅得意的书法赠予友人。

我把书法作为一己的心灵生活。故而，不喜欢别人的逼迫与勉强，不喜欢书写那种无关痛痒的名人留言；更不喜欢当众挥毫表演，似有江湖卖艺的感觉。

我不会天天不停地写，甚至一连写上三幅就会感到厌倦。我喜欢与书法的关系是一种不期而遇的邂逅。那一瞬，我们彼此都会惊奇，充满新鲜与兴奋。笔与墨，一边让我熟悉，一边给我意外。只有此时，我才会感到笔墨也是有生命的。笔墨的性格是一半顺从，一半逆反；一半清醒，一半烂醉。我们的艺术创造，不是一半来自于笔墨的自我发挥吗？

甲子之年，我写了一首诗，实际上是写了我的艺术观：

笔墨伴我一甲子，谁言劳心又劳神。
墨自含情也含爱，笔乃有骨亦有魂。
如烟岁月笔下挽，似水时光墨中存。
我书我画我文章，笔墨处处皆我人。

此诗写过，欲言尽之。

二〇〇三年四月

自我的小品

　　终岁忙碌，镇日辛劳，近年来大块文章和整纸书画少了，然心魂却常常需要安放，故而偶得一隙闲暇，一阙空间，积压心间的种种情思便从中生发出来，撩动情致，每每不能自已，则顺手于案前拉一页纸，捉一支笔，或诗或文或书或画；有的是现成的字句，有的则胸无成竹，信心拈来，逞一时心性也。由于本人痴迷于古代笺纸的韵味，又喜爱文人书写与印章之美，如此为之，快我心也。这种堪称文人的雅事，常常只是一种自我欣赏。偶有友人喜欢，相赠以为乐事，很少展示或出版。近日忽见这些不经意间积存的书斋小品，竟有百件之多；何不选些印成小书，供人清赏？因有了此集。

　　此集亦画亦诗文亦书法。画皆信手为之，逸笔草草而已，文字多短句片言，有随口吟唱，有画上题诗，也有忽然冒出来的自我的警句。书法全是小字，小如蝇头，大不过雀首；这些小品的尺幅皆在数寸之间，鲜有盈尺。应是真正的案头遣兴之作，因自称为清品。

　　书题中所说的心居，是我书斋的斋号；书斋乃我心灵之居所也。

　　是为记。

甲午初夏于津门

诗　笺

我非诗人，也常写诗，何也？

其缘故是中国诗的传统太久太深，诗的经典太多，名诗妙句深记在心；诗的节拍和韵律也就潜入了血液。因之，中国的文人的天性里都有诗性。每每有感而发，不觉之间便会以诗唱出心声；且不说唐人皆诗，比方一九七六年天安门事件，千千万万人以诗表达共同的心灵狂飙，也只有中国了。在这样的文化背景下，人在书斋之中，一时心性使然，冒出几句诗，遂从案头的文镇下取一页笺纸，信手题写下来。这么做再自然不过，也再美不过。

这种美，一半在作诗上，一半在题（书写）诗上。

中国人作诗最讲究炼字。从诗的角度说，每一个方块字都有丰富的内涵，用在不同地方，意味绝不一样。字是死的，用好就活。一个看似平平常常的字用好了、用准了、用妙了——用绝了，这种感觉自然极美；若将这样的感觉题写在纸上，还会再添一种美感——书写之美感。

文人是很少抄写别人诗文的。自己有了好的诗句，便会引起自我书写的兴致。书写自己的诗，不是用手写，而是用心写。笔一落纸，内心的诗情便自然转为手上的笔墨；诗的节律自然化为行笔的节奏；一撇一捺一勾一点，全是内心的表情。而这种在小小的笺纸上的书写与大幅书法不同，大幅书法毕竟要悬在厅堂，供人观赏；这种诗笺都是信笔由来，为己而书，一切缘自兴致，没有半点拘泥。我喜欢使昔时的笺纸，或者各类小卡纸；这两种纸都是成品，制作精美，形状各异，写罢钤一方小印，两三闲章，各色笺纸，墨字朱印，诗文翰墨，十分风雅。每每赏玩过后，便习惯地放在案边一只竹制的提盒中。偶有友人来，看了好玩，便会讨去一件，拿回去装在素雅的镜框里，挂在房中，分享我书斋中的一点意蕴与墨香。近来翻出这些诗笺短简，发觉这里边有不少往日的故事、友情、人生细节、一时的情怀与佳句，值得自珍，便不再赠予他人，孤芳自赏地存藏起来。

我常写诗还有另一缘故，是我的诗近半为题画诗。题画是文人作画的方式，画不尽意，诗文相辅。古今的题画诗，我之最爱为二人：古人是郑板桥，近人是齐白石，画面上所题文字，或诗或文，长跋千字，意犹未绝；三两短句，点到为止，绝无定式，却又是必不可少的，一概是由画里生发出来的性情文字；有的与画相生，有的补画不足。这些诗文离开画面，常常可以独立成篇，却又与画面血肉一体。《郑板桥集》和《齐白石诗文集》中不少诗文，都是先出现在画上，然后收录于诗集之中。然而我的题画诗抄录下来的只是少数，多数随画而去，不知今在何处。

诗如文人随口歌，好听只是吟唱时，歌儿有翼自飞去，去后空空无人知。那么这些无意间书录在笺纸上的诗文，便是一种幸存，一种诗文自身的命运，也是一种真实的书斋生活，现在印出来是为了给知己清赏而已。

二〇一四年五月二十二日

片　简

　　书斋中的小品中，比诗笺更随性、更自由、更无定格的应是片简，也就是用一些小纸写些性情或有意味的文字。使我分外喜爱这种片简短笺的重要原因，是我对一些岁久年深的老纸与古笺的迷恋。每见印制精美、版味十足，特别是带着一些特殊斋号乃至朝代与年份的笺纸，必存藏。过于珍爱老纸的人是舍不得使用的，我则不然，偏要在上边落下笔墨，人说这是一种十足的文化的奢侈。比方一位古纸的藏友拿来一片小纸，苍老得像一片枯叶，上面用木版印着"成化十八年"的年款，掐指算来，至今已五百三十年，我竟像撞上一份美餐，立即使笔题上自己的一首五言绝句。这位藏家问我，你用这样稀罕的纸，因何全无顾忌？我说：我写上自己的诗，我的生命就与这纸的生命融合一起了。其实，我也不是全无顾忌，我手中有四枚乾隆年间仿宋代澄心堂的笺纸，上边分别印着"孔子""墨子""老子"和"孟子"木刻画像，纸太美了，雕印更精。我知道早在宋代，欧阳修、梅尧臣和苏东坡就对澄心堂御笺惜如珍宝，故收藏多年，至今不敢着墨。

　　笺纸始于南北朝，一千数百年来一直是文人钟爱之物，也是文房上品，乃至清玩。最初笺纸的模样无从知道。唐人薛涛用成都近郊浣花潭水造一种小型的笺纸，专用于题诗。虽然今天已看不到这种"薛涛笺"，但在《天工开物》上有了具体的描述。据说纸质细嫩柔润，并用芙蓉花汁染成桃红色，深受白居易、刘禹锡、元稹等大诗人的喜爱。李贺那两句："浣花笺纸桃花色，好好题诗咏玉钩。"不仅对这种诗笺赞美至极，还表明唐代文人把诗题在笺纸上视作雅事。凡是上好的笺纸，都经过精心选纸、设计、染色。唐代还没有版印的笺纸，到了宋代，我国雕版印刷兴起，雕版的书籍插图一下子普遍开来，木版的年画纸马也遍地开花。这种可以印制精美图案的雕版印刷术，很自然就进了笺纸的作坊，各种花样时时翻新的笺纸便成了文人们的书斋新宠。到了明清两代，雕版业更加蓬勃，印制日益精湛，不仅有"十竹斋"那样的名品问世，还出现了集古今名笺为册的"笺谱"。朝野公私皆有各类笺纸，信笺、便笺、喜笺、礼笺等，各有各的式样，各有各的字号，各有各的讲究。清末民初称得上是笺纸的"夕阳无限好"。《朵云轩笺谱》《荣宝斋笺谱》、画家张和庵绘制的《文美斋百花诗笺谱》、鲁迅和郑振铎编的《北平笺谱》等，都一时名品。大画店邀请名家绘制笺纸上的图案，任私人选印定制自家信笺。记得四十年代我家就在荣宝斋水印制过几种便笺，图案不一，其中一种是溥儒（心畬）的山水，一是吴徵（待秋）的梅花，彩色套版，雅致优美，左下角还印着我家"裕后堂"的堂名。可惜现在手中所存只有一张了，物存唯一，犹觉珍贵。

这种笺纸无论刻印、套版、配色、选纸都讲究，而且用起来很惬意很享受。有的一片竹影或闲山野水，铺满纸面，好题诗词；有的一角点缀着博古器物或折枝花卉，余皆空白，便书信函。不同笺纸有不同用场。功能不一，用纸有别；对象不同，花色自斟。每要使用，必要根据特定之需，从文房所备各类笺纸中挑选适用者。反过来，不同笺纸也会唤起文人不同的兴致，在上边写几句随兴的话。

我不是笺纸的藏家，只凭对古纸的痴爱，存藏各类笺纸百余种。有名品，也有许多私家用笺，上边印着堂号斋号，有的可以查知，有的永远不知何地何时何等人家姓甚名谁。不过这些笺纸都是当初人家定制的，带着原主的偏好与气质，也带着随岁月感不同的时代的气息。有的华贵考究，有的雍容大气，有的清新简约，这便给我用起来很多的选择。

我用它们写诗词、随笔、闲文，更写对联、偶句、箴言、赠语、题句等，多则数百言，少则十几字，多是写给人家的，也有少量写给自己的，从中却可见往日书斋里的种种片断。它使我明白，要珍视自己人生的细节，因为有些细节常常支撑着事情的全部。

二〇一四年五月二十二日

丹青小品

　　文人在书桌上画的画儿，与在画案上画的不同，是信手涂抹的丹青小品。中国文人讲求琴棋书画，触类旁通，诗画相生，书画同源。古代文人写作，用的是纸笔墨砚，画画也是纸笔墨砚，手中同样的工具，想写就写，想画就画。所以文人大多"工诗善画"，甚至"诗书画"三绝。但文人善画，其画技不一定全都高超，到达专业水平，有时只是撇几笔飘逸的兰草，抹几杆劲拔有节的竹枝，"逸笔草草，不求形似，聊以自娱耳"（倪瓒语）。其实，文人画的始作俑者苏轼和米芾的画，也都是这种文人小品。人家夸赞米家山水如何高妙，并非说他的技法多么高不可攀，不过是画坛上从未见过这种出自书斋、讲求意境、不求形似的丹青。

　　中国画中小画的历史很久，成熟时期是宋代。斗方、镜心、团圆的绢面，都是宋人擅长的小品。宋代的大家如马远、夏圭、李迪、林椿、苏汉臣等，都画过许多这种小品，其绘制之精妙自不必说，关键是在有限的尺幅中所表达的意蕴之幽深与意境之高远。杜甫将此画理一句道破，即"咫尺应须论万里"。这画理，正是中国文人山水致力追求的。

　　书斋里的丹青是文人的生活方式之一。或诗或书或画，都是由一时心绪，逞一己性情，不必谋篇布局，斟酌笔墨。只求有所蕴藉与寄托，彰显一点意味与情趣则已。书斋中的小品没有固定的样式，纸张的短长，任其自然；画面的繁简，全凭兴致；或山山水水、有花有叶看似完整的一幅；或以一当十，简括为之充为一帧；也可寻奇作怪，别出心裁成一图也。这样随心所欲的丹青时时出现在我的案头。

当然，书斋生活缤纷多姿。时而为他人题画助兴，亦诗亦文，以为乐事；时而鉴赏古画古物，有感而发，书写其上；时而会在赠予他人书籍的扉页上，抹上几笔；往往书斋生活正是靠这些另类的丹青翰墨的小品，斑斓地表达出来。

　　数十年里，这种不经意的书画随时随地产生，也随手掖在各处，过后不会记得。一次，一位友人借一本画册去看，还书时告我里边夹着一帧书斋小画，很有味道。那是当初画后，顺手折起来夹在画册里的，谁还记得？今日友人送还，叫我分外感动。时下，这种君子不多见了，便在画上题了字送与他。

　　另有人对我说：那人挺美，白白得到一张小画。

　　我听了，未答。答了他仍旧不懂。

　　书画本是风雅的事，只要离利益远一点，就会美好。

二〇一四年五月二十二日

大樹畫館

冰心題

大树画馆的"大树"二字来自我的祖先"大树将军"中的"大树",以表示我对这位先祖"建功不受禄"之高风亮节的尊崇。大树画馆成立于一九九三年。冰心老人为我题写匾额。

作　画

　　今日早起，神清目朗，心中明亮，绝无一丝冗杂，唯有晨光中小鸟的影子在桌案上轻灵而无声地跳动，于是生出画画的心情。这便将案头的青花笔洗换上清水，取两只宋人白釉小盏，每盏放入姜思序堂特制的轻胶色料十余片，一为花青，一为赭石，使温水浸泡；色沉水底，渐显色泽。跟着，铺展六尺白宣于画案上，以两段实心古竹为镇尺，压住两端。纸是老纸，细润如绸，白晃晃如蒙罩一片月光，只待我来纵情挥洒。

　　此刻，一边开砚磨墨，一边放一支老柴的钢琴曲。不觉之间，墨的幽香便与略带伤感的乐声融为一体。牵我情思，迷我心魂。恍恍惚惚，一座大山横在面前。这山极是雄美，却又令人绝望。它峰高千丈，不见其顶，巅头全都插入云端。而山体皆陡壁，直上直下，石面光滑，寸草不生，这样的大山谁能登临？连苍鹰也无法飞越！可它不正是我执意要攀登的那种高山吗？

　　这时，我忽然看见极高极高的绝壁上，竟有一株松树。因远而小，小却精神。躯干挺直，有如钢枪铁杵，钉在坚石之上；枝叶横伸，宛似张臂开怀，立于烟云之中。这兀自一株孤松，怎么能在如此绝境中安身立命，又这般从容？这绝壁上的孤松不是在傲视我，挑战我，呼唤我吗？

　　不觉间，画兴如风而至，散锋大笔，连墨带水，夹裹着花青赭石，一并奔突纸上。立扫数笔，万山峥嵘；横抹一片，云烟弥漫。行笔用墨之时，将心中对大山的崇仰与敬畏全都倾注其中。没有着意的刻画与经营，也没有片刻的迟疑与停顿，只有抖动笔杆碰撞笔洗与色盏的叮叮当当之声。这是画人独有的音乐。随同这音乐不期而至的是神来之笔和满纸的灵气。待到大山写成，便在危崖绝壁处，以狼毫焦墨去画一株松树——这正是动笔之前的幻境中出现的那棵孤松。于是，将无尽的苍劲的意味运至笔端，以抒写其孤傲不群之态，张扬其大勇和无畏之姿。画完撂笔一看，哪有什么松树，分明一个人站在半山之上，头顶云雾，下临深谷。于是我满心涌动的豪气，俱在画中了。这样的作画不比写一篇文章更加痛快淋漓？

有人问我，为什么有时会停了写作的笔，画起画来。是消遣吗？休闲吗？自娱吗？

我笑而不答，然我心自知。

二〇一四年十一月二十八日

画飞瀑记

　　这日，忽有莫名之豪情骤至，画兴随之勃发，展纸于案，但觉纸短，便扯过一幅八尺素白宣纸换上。伸手从笔筒中取一枝长管大笔，此刻心中虽无任何形象，激荡情绪已到笔端，笔头随即强烈抖颤起来。转手一捅砚心，墨滴四溅，点点落到皎白纸面也全然不顾。然手中之笔已不听任于手，惊鸟一般陡地跳入水盂，一汪清水便被这墨笔扰得如乌云般翻滚涌动。眼前纸面，恍若疾风吹过，云皆横态，大江奔去，浪做斜姿；奔泻的笔墨随同这幻象一同呈现。

　　水墨大笔在纸的上端横向挥洒，即刻一片洪流潺然展开，看似万骏狂驰，瞬息而至。不待思索如何谋篇布局，笔管自动立起，向下劲扫数笔，顿时万马落崖，江河倒挂，水气冲来，不觉倒退几步，更有一阵冷雨扑面，不知是挥舞的水墨飞溅，还是一种逼真的幻觉所致。大水随笔倾下，长流百尺，一泻到底，极是畅快，心中块也被浇得净尽。水落深谷，腾龙跃蛟，崩云卷雪，耳边已响起一阵如雷般的轰鸣。继而，换一枝羊毫大笔，饱蘸清水淡墨，亦我绵绵情意，化浪花为湿雾，化浓霭为轻烟，默然飞动，舒漫流散。更有云烟飞升，萦绕于危崖绝巘之间；望去如薄纱遮翳，似明似灭，或有或无，渺迷幽复，无上高远复深远也。此皆运笔之虚实轻重使然。笔欲住而水不止，烟欲遁而雾不绝。水过重谷，乱石相截。然非此不能表现水的浩荡、顽强与百折不回的勇气。因之，阔笔写一横滩，水则涌而漫过；浓墨泼一立石，水则砰然拍去，激出巨浪，笔甩墨飞，冷气夹带水珠，弹向天空。岩石夹峙，水流倍猛，四处疾射，奔流前行。一路遇阻而过，逢截必越，腕间似有不挡之势。画笔受激情鼓荡，撞得水盂砚池叮当作响。此亦画之音乐也。直画得荡气回肠，大气磅礴。只见水出谷底，汇成巨流，汩汩而去。不觉挥腕一扫，掷笔画成。

于是，悬画于壁，静心望去，原来竟是一大幅飞瀑图。奇怪！作画之前，并未有此图之想，缘何成此画图？一般所谓作画"胸有成竹"在"胸无成竹"之上，错矣！殊不知，"胸无成竹"才是最高的作画境界。此便是先有内心的氛围与实感，不过借笔墨一时成像罢了。

身在世纪之交，每思前顾后，阅历百年，感慨万端。然而，由当今而瞻前，确是阔而无涯。心所往，皆宏想。由是黄钟大吕，时亦鸣响心中。这便是如上豪情时有骤至之故。图画至此，意犹未尽，遂取一枝长锋狼毫笔，题数字于画上，乃是这样一句：

万里泻入心怀间

画为文外事，文亦画外事；画为文中事，文亦画中事。画罢作文，以记之。

一九九七年二月

画枝条说

是日，做纯理性思考。思考乃一奇妙的境界。各种思维线索，有如大地江河，往来奔突，纵横交错，看上去如同乱网，实则源流有序，泾渭分明。于是一时思得心头大畅，抬手由笔筒取长锋羊毫一枝，正巧砚池有墨，案桌有纸，遂将笔锋饱浸墨汁。笔随手，手随心，心无所想，更无形象，落纸却长长抒展出一根枝条来。这好似春风吹树，生机勃发，转瞬就又软又韧伸出这好长好鲜的一条呵。

一枝既出，复一枝顺势而来。由何而来，我且不管。反正腕下如行云流水，漫泻轻扬，无所阻碍。枝枝不绝，铺向满纸。不知不觉间，已浸入并尽享一种自我的丰富之中了。

然而行笔之间，渐渐有种异样的感觉。这一条条运行在纸上的墨线，多么像刚才那思维的轨迹？

有时，一条线飘逸流泻，空游无依，自由自在，真好比一种神思在随意发挥；有时，笔生艰涩，腕中较劲，线条顿挫有力，蹒枝拔节，酷似思维的层层深入；有时，笔锋疾转，陡生意外，莫不是心中腾起新的灵感？于是，真如树分两枝，一条线化成两条线，各自扬长而去，纸上的境界为之一变。

这枝条居然都成了我思维的显影。

一大片修长的枝条好似向阳生长，朝着斜上方拥去；那里却有几条劲枝逆向而下，带着一股生气与锐意，把这片丰繁而弥漫的枝桠席卷回来。思维的世界本无定式，就看哪股力量更具生命的本质。往往一枝夺目出现，顿时满树没入迷茫。而常常又在一团参差交错、乱无头绪的枝桠中，会发现一个空洞似的空间，从中隐隐透着蒙蒙的微明。这可不是一处空白，仔细看去，那里边已经有了淡淡的优雅的一枝，它多么像一声清明又鲜活的召唤！

我明白了，原来这满纸枝条，本来就是我此刻思维的图像。我第一次看见了自己的理性世界。在这往复穿插、层层叠叠的立体空间里，无数优美的思维轨迹，无数勇气的涉入与艰涩的进取，无数灵性的神来之笔，无数深邃幽远的间隙，无比的丰富、神奇、迷人！这原来都是我们的思维创造的。理性世界原来并不完全是逻辑的、界定的、归纳的、简化的；它原来比生命天地更充溢着强者的对抗，新旧的更替，生动的兴衰与枯荣；它还比感情世界更加变化无穷，流动不已，灿烂多姿和充满了创造。

我停住笔，惊讶于自己画了这样一幅没有感情色彩却使自己深深感动的画。原来人类的理性思考才是一个至美的境界。此外，大千万象，人间万物，谁能比之？

一九九七年十一月　天津

《老夫老妻》记

一九八三年，冰心和吴文藻先生金婚纪念日那天，我到冰心家祝贺。老太太新衣新裤，容光焕发，聊天时没有等我问就主动讲起她当年结婚时的情景。她说，和吴文藻度蜜月是在北京西山一个破庙里。那天，她在燕京大学讲完课，换了一件蓝旗袍，把随身用品包了一个小布包，往胳肢窝一夹就去了。到了西山，吴文藻还没来——说到这儿，她笑一笑说："他就这么稀里糊涂。"

她等得时间长了，口渴了，就在不远农户那儿买了几根黄瓜，跑到井旁洗了洗，坐在高高的庙门坎儿上吃，等候新郎吴文藻。直等吴文藻姗姗来迟。他们结婚的那间房是庙后的一间破屋，门都插不牢，晚上屋里经常跑大耗子。桌子有一条腿残了，晃晃当当。"这就是我结婚的情景。"说到这儿，她大笑，很快活，弄不清是自嘲，还是在为自己当年的清贫与洒脱而洋洋自得。然后她话锋一转，问道："冯骥才，你怎么结的婚？"我说："我还不如您哪！我是"文革"高潮时结的婚。"老太太一听，便说："那你说说。"

我说，当时我和我未婚妻两家都被抄了。街道赤卫队给我一间几平米的小屋。结婚那天我和爱人的全家去一小饭馆吃饭。我父亲关在牛棚，母亲的头发被红卫兵铰了，没能去。我把抄家剩下的几件衣服包了一小包儿，放在自行车后衣架上去饭馆，但小包路上掉了，结婚时两手空空（冰心老太太插话说，你也够糊涂的）。因为我俩都是被抄户，在饭馆里不敢声张，更不敢说什么庆祝之类的话，大家压低嗓子说："祝贺你们！"然后不出声地碰了一下杯子。

饭后，我和我爱人结婚就到那小屋去了。屋子中间安一个煤球炉子，床是用三块木板搭的，我捡了一些砖，垒个台子，把木板架在上边。还有一个小破桌；向邻居借了两个凳子，此外再没有什么了。窗子不敢挂窗帘也不敢糊纸，怕人说我们躲在屋里搞反革命名堂。进屋不多会儿，忽然外边大喇叭响起来，我们赶快关了灯。原来楼下有个红卫兵总部，知道楼上有两个狗崽子结婚，便在下边整整闹了一晚上，一个劲儿朝我们窗户打手电，电光就在我们天花板上扫来扫去。我和爱人和衣而卧，我爱人在我怀里整整哆嗦了一个晚上——"这就是我们的新婚之夜。"

冰心老太太听了之后，带着微笑却严肃地说："冯骥才，你别抱怨生活。你们这样的结婚才能永远记得。大鱼大肉的结婚都是大同小异，过后是什么也记不住的。"

我点头说是，并说我画过一幅记载我们那时生活情境的画，画的是大风雪的天气里，两只小鸟互相依偎，相依为命，我还题了一首诗在上边："南山有双鸟，老林风雪时，日日常依依，天寒竟不知。"

这幅画在大地震时埋在废墟里，又被我努力挖掘出来。后来生活好了，偶尔想起过去的日子，还要按这意境再画一幅。我感觉作画时像是重温往事，我很少重复作画，但这幅画却画了好几幅。并重新给它起了名字，叫《老夫老妻》。

当然，老夫老妻的内涵还要深远悠长得多，我还写过一个短篇，题目也叫做《老夫老妻》。

所以我认为：绘画有时候也是一种心灵的历史。

一九九九年一月

泰山中天门写生画稿题记

　　上世纪七十年代中期余在天津工艺美术工人大学任教国画山水，甲寅初秋带领学生赴泰山写生半月，下榻中天门一家小店；每日肩挎画夹，攀峰入谷，摩山写水，朝出夕归，得稿甚丰，缘此多有创作；然两年后大地震，房倒屋塌，画稿损毁殆尽，幸存寥寥，实乃劫后残余。今日观之，当年登岱情景复现目前，亦感慨亦怀旧，因装裱成册，依图题写数言，珍惜以往是也。

癸巳冬日于津门心居

树后边是太阳

　　如果是思想的苦闷，我会写作；如果是心灵或情感的苦闷，我常常会拿起画笔来。我的画，比如《树后边是太阳》《春天不遥远》《穿过云层》等，都是在这种心境中画出来的。然而此刻我不一定去表达内心的苦楚，反而会凭借内心涌起的一种渴望，唤起自己某种力量，去抵抗逆境——这也是我的性格中的一部分。因此，这幅画最能体现我此种的内心情感；它开阔、豁达、通透万里。我也不知道当时为什么用大面积的白纸来作为一种覆满白雪的高原，我顺手就在这白雪上画出极长极长的树影来表现远处的林间透来的阳光；我更得意于我所表现出来的冬天树林所特有的那种凛冽的、清新的、使人精神为之一振的空气感。我已经弄不清这到底是我当时着意追求的，还是一任心情之使然？反正，我以为绘画首先是为了满足自己，然后再去打动别人，取得别人的同感和共鸣。当然，你所获得的同感，又取决于你对内心所表达的真切的程度。

　　在国内外的各种画展上，几次有人提出想收藏我这幅画，我都是摇摇头，笑笑，没有回答。心里却想："这幅画不只是我的一件作品，它是这人生经历中的一个重要环节。它对我的重要，在于它会提醒我——在苦闷中、困惑中、逆境中，千万不要忘记从自己身上提取力量。所谓强者，就是从自己的精神中去调动强有力的东西。"

　　每个人身上都有强者因素，弱者的错误是放弃了它。

　　关于性格和命运的关系，那便是：自己可以成全自己，也可以毁掉自己。

一九九九年一月

吻

　　世上最伟大和震撼人心的吻是天空亲吻大地。你一定会说，天空怎么能亲吻大地？

　　那次考察丝绸之路，车子穿行贺兰山时，我看到了一个惊人的景象。天空正低下身子，俯着脸，用它的嘴唇——厚厚的柔软的云朝一座大山亲吻下来。这一瞬，我发现天空那布满云彩的脸温柔之极，脸上松垂的肉散布着一种倾慕之情。大地被感动了。它朝着天空撅起嘴唇——高高翘起的峰顶。我感到大地的嘴唇在发抖。霎时，如烟一般的乌云把山顶弥漫，激情地翻滚，天之唇和地之唇深深地亲吻起来。而天地之吻竟是如此壮观、如此真切、如此辽阔，在这发狂而无声的纠缠中可以看见乌云被嶙峋的山石拉扯成一条一条，可以看见山巅的小树在疾风中猛烈地摇曳，所有树干都弯成一张张弓。这才是真正的惊天动地的吻。

　　随即，天空抬起脸来。云彩急速地飞升上去，向前奔驰。奇怪的是，黑黑的乌云一点也没有了，全都变得雪白，薄的如白纱，厚的闪着银绸般的光亮。再看，真令我惊讶，眼前这片被天空亲吻过的山野也发生了神奇的变化。所有景物的颜色都变得分外的鲜艳，非常美丽。尤其是一束阳光穿过云层射下来，刚刚被雨云深深浸濡过的地方，湿漉漉发着光亮。山石带着红晕，草木碧绿如洗，各色的野花如同千千万万细碎的宝石，璀璨夺目，生气盈盈；它所有的生命力都被焕发出来了。

　　这天地之吻竟有如此的力量。吻，能够创造如此的奇观吗？如果是，那么就要珍惜每一个吻，因为一个真正的心灵之吻，会要改变自己和别人的一切。

二〇〇五年三月九日

听 水

听雨听风听水听鸟听蛙，这种美感与惬意常见于古人的诗文书画之中。古人观瀑听水，多画一人抚松或坐石，面前悬挂一瀑，飞流直下，清溪绕足而过。此人便是画家自己。身处画中的位置，便是观瀑听泉最好的位置。

我则将画中人物，换成鸟儿。这鸟儿却非自然界的鸟儿，而代表我自己。因此我的鸟儿多半只画一个影子，有姿态神态即可。

鸟儿自由，可飞到画中各处。比如这幅画中的"我"，则是站在泉口上边缀满红叶的秋树上。下临飞湍瀑流，喧嚣和轰鸣。这鸟儿可以使我从一个新的角度，体会一种新奇的境界。观我画者，也可以站在鸟的角度，身临其境地体会画中的另一番情境。

或许有人问我，文人画不是自我抒发吗？也要考虑别人怎么欣赏吗？对于其他文人画家，可能无须考虑——自赏也是它赏；但我是作家出身，文章不是给自己读的，是给别人读的，即使再自我的文字，也要想到读者的接受心理。可能这是我的画与古代的文人画的不同之处。

二〇〇六年二月二十八日

往　事

　　不管我对于社会问题的思考怎样自觉地超前，但在个人的内心生活中，回过头去怀念往事，则是我很重要的一部分精神内容。这不是一个年龄的问题。在我很小的时候，在青少年时代，就常常被往事深深地吸引着。可能只有往事才是自己经验过的、属于自己的、值得珍惜的人生片段。在我个人收藏中，最珍贵的莫过于种种过往生活遗留下来的小小物证。我喜欢听那些忧伤的音乐，是不是唯有忧伤的音乐才能唤起往事的重现？那么在我的绘画中，很自然地便有几幅是表现这种一己情怀的，比如《忧伤》《某夜》，还有这幅《往事》。这幅画在北京中国美术馆展览时，有两位歌唱家看了之后都落泪了，一位是张权，一位是关牧村。我想，她们为什么那么伤心？恐怕是我的画勾起了她们往日某些苦难的片段吧。我知道，张权曾在北大荒有过一段很苦楚的日子，关牧村的经历也十分坎坷，音乐家更容易动情感。引起她们共鸣的大概就是弥漫在这画中的忧伤了。

　　一幅画会引起人伤心落泪，它的效应就绝非是绘画的，而是文学的。因而我更有道理说，我画画其实是一种写作。

一九九九年一月

行间笔墨

在终日四处的奔波中，常常不能拒绝的事便是应人家请求，提起毛笔写几句话。想想看，人家盛情陪同，尽其所能地招待和照顾，而这些景物本来又都是自己切切关心的，待到告别之时，人家备好纸笔墨砚，请你留下"墨宝"，怎好把脸一板推掉？故而这些行间的笔墨大多在来去匆匆之间，凭着的是一时的情意与兴致，很是即兴。比方，在四川绵竹考察年画，被那里独有的"填水脚"所震惊。所谓"填水脚"，乃是每逢年根，画工们干完活要回去过年，顺手将颜料渣子混上水色，涂抹在印了线版的纸上。画工们人人都是才艺精绝，故而这些看似率意为之的几笔，很像中国画的大写意，立笔挥扫，神气飞扬。绵竹年画本来就像川剧，高亢辛辣，这"填水脚"更是将川地年画独有的地域气质发挥到极致。特别是绵竹年画博物馆中一对清代中期"填水脚"的门神，不过七八笔，人物跃然而生。我看得如醉如痴，不停地说："这简直是民间的八大！"

从博物馆出来，便被主人引入一间小室。桌上已摆上文房四宝。不用去想，心中已有两句话冒出来，挥笔先写道："土中大艺术"。这上一句写过，忽觉心中的下一句不甚好。下边一句应当更妙才是。此刻扭头看到窗台上有个剑南春的酒瓶。绵竹也是名酒剑南春的故乡。这一瞬，老天爷亲吻了我的脑门，妙语倏忽而至，接下去便写出来："纸上剑南春"。这一句叫主人高兴非常。

再一次更有趣的是在乐山。仰观大佛之后，在席间主人说："你总得留点纪念给我们。"我想，乐山大佛是天下佛窟中至美至上之宝。我已经是千里迢迢第二次来看大佛了，应当在这里留一幅字。有了这想法，却像得到神助那样，心中首先出现的两个字"大佛"，倒过来便是"佛大"，由是而下，一佳句油然而生——"佛大大于大佛"。下边还应有一句，自然想到"乐山"和"山乐"等，于是两句绝妙好词装入胸中。待展纸书写之时，我对主人说，这幅字很难写。主人说为什么。我说其中两个字要重复两次，还有两个字要重复三次。便是：

佛大大于大佛
山乐乐似乐山

待写过这幅，放下笔一看，居然竖着读奇妙，横着读也通也奇妙，更觉得这两句不是自己脑袋想出来的，好像谁告诉我的。此种乐趣，还有谁知？

这行间的笔墨并非总是灵感迸出，若有神助。有时人马劳顿，情思壅滞，而文人书法偏偏要"言必己出"，又不能落笔平庸，往往就被盛情的主人逼入绝境。逢到此时，只好请主人留下姓名地址，回去补写后再寄来，绝不勉强自己。

即使是这样，也常常会留下遗憾。比如，前些天在如皋，参观水绘园。此园曾是文人学士会集之所，又是明代名姬董小婉栖隐之处。园中景物相映，玲珑曲折，气息幽雅，世称文人图。游园时，因景生情，因情生句，待主人相邀题字时，捉笔便写了"园如书卷可捲，景似画轴当垂"两句。主人颔首称好。可是自己心里总感觉有些不妥。题字，字比词更为重要。但是，词要思量，字须推敲，时间这样仓促，被人又请又拉，怎好从细斟酌？从水绘园出来后，坐在车上，把刚刚的题词放在心中来回一折腾，忽觉应该改两个字，应是：

园如书卷半捲
景似画轴长垂

这样才好，可惜已经晚了。那幅糟糕的字留在人家那里，自己却带着遗憾直至此刻此时。

再说两件得意的事。

一次在西南某地。一位主人为他的上级领导向我索字。这也是在各地常常碰到的事。但我的笔墨从不为人帮闲，遂写了一句：

心中百姓是神仙

我想此句如使他受用，当也使他受益。

再一次是在南通小狼山的广教寺。寺中方丈请我留下笔墨。小狼山为天下最小名山，虽然仅仅一百零八米，却有一座古庙和宋塔伫立峰尖。日日晨钟暮鼓，梵声散布万家。想到此处，因题道：

最小山头，
顶大佛界。

由于宣纸劲润，笔也凑手，写得水墨淋漓，极是酣畅。

方丈合掌行礼，表示满意与谢意。我却说，这句话也是为我自己写的。此我世间的追求是也。

因之可谓，行间笔墨，其乐无穷。

二〇〇四年五月二十五日

大树画馆建于一九九四年，原址在原英租界小白楼地区的一座老楼内。

话说中国画

中国画在世界上是独一无二的。这不仅因其历史深厚久远，大师巨匠其众如林，传世名作浩似烟海，更重要的是它异常独特，且具鲜明的民族个性。中华民族独有的宇宙观、哲学观、艺术观、审美观，顽强地表现其间；把其他任何民族的绘画与其放在一起，都迥然殊别，立时可见；中国画独放异彩。

中国画自它诞生之日始，就不以追慕自然形态为能事，而把表现物象的精神作为目的。在形与神的关系上，认为"作画以形似，见与儿童邻"（苏轼语），主张"以形写神"（顾恺之语）。哪怕所画的形态在"似与不似之间"（齐白石语），也要把内在的精神表现出来，这就使中国画家的注意力始终投射在事物内在的、深层的、本质的层面上。唐宋两代，繁盛迷人的社会生活征服了画家，严谨认真写实的画风因之盛行一时，但捕捉物象精神仍是绘画的最高追求。同时一些修养渊深的文人介入绘画，他们强调情感抒发与个性张扬，绘画的精神内涵得到进一步充实与开拓。文人们还主张"诗是无形画，画是有形诗"，提倡"书画同源"，这样就把诗的深刻境界与书法的审美品格带入绘画，促使独具魅力的中国画艺术特征的形成。

诗对画的首要影响，是使画家不受自然物象的时空局限，凝练升华，联想自由，去构造更加动人和感人的艺术境界。诗的洗练、隽永、含蓄和韵味，使绘画更注重"虚"的成分，更讲究"空白"的运用，更致力于笔墨的精练与意趣。文学中常见的象征、比喻、夸张、拟人等手法，被带入绘画后，绘画的表现力更大大地增强。这也是明清以来大写意画的主要艺术手法。

书法是中国特有的、纯形式的艺术。在书法中，整体的布局，字的形态与架构，乃至一点一画，无不充溢着形式感；笔的疾缓、刚柔、巧拙、藏露，墨的枯润、饱渴、轻重、浓淡，一方面直抒作者的情感与思绪，一方面传达审美的精神与理想。中国的绘画与书法都使用毛笔，中国画又是以线造型，线条是画面的骨架，书法的笔墨便自然而然地过渡到绘画中来，不仅提高了绘画用笔的技法和能力，也丰富了绘画的笔情墨趣和形式美。尤其通过了苏轼、文同、赵孟頫等人的努力，将书法引入绘画，使元以来绘画的面貌翻然一变，全然改观了。

元朝以来的中国画，还兴起在画面上题写诗文。画面既是绘画作品，也是书法作品，又是可读的文学作品，再加上篆刻印章，所谓"诗、书、画、印"一体，构成中国画独具的形式美。这对画家的修养也有了更高和更全面的要求。画家多是工诗善书，兼精治印的"通才"。

中国画的主要工具材料是纸、笔、墨。最早的中国画大多画在绢上，宋元以来渐渐搬到纸上来。纸的种类很多，大致分为生熟两类，熟宣纸类是用矾水刷过的，不渗水，适于画精整而细致的工笔画；生宣纸吸水性强，不易掌握，但把水墨铺展上去，变幻无穷，故宜于挥洒淋漓多趣的写意画。笔的种类更是不可胜数，粗分可分为三类，一是笔锋刚健的狼毫类，二是锋毛柔软的羊毫类，三是兼用狼毫与羊毫混制而成，笔性刚柔相济的兼毫类。画家根据所要画的物象的形态和质感选择不同毛笔，往往一幅画要用多种类型的笔。一枝毛笔锋毫的散聚，含水蘸墨的多少，全由画家根据需要控制；使用笔锋的不同部位——中锋、侧锋、逆锋等，效果全然不同。每个画家都有自己习惯的用笔方法，这也是构成画家风格的重要因素。中国画上最主要的颜色是黑色。中国画说"墨分五色"，即用浓淡不同的墨色作画，常常不附加其他颜色，也一样可以表现物象的丰富性。中国画家在用墨上积累了很多经验，有的画家以独到的墨法自成一家。有时，画面加入其他颜色。早期的中国画所用颜色多为矿物质原料，如朱砂、石青、石绿、石黄、赭石、铅粉等，覆盖性强，色彩浓艳，经久不变，故当时中国画多为单线平涂，画面具有强烈的装饰效果，后来，渐多采用植物性颜料，如花青、藤黄、胭脂、朱磦等，能被水溶解，互相调配，色泽接近自然，并能与墨结合，相辅相成，色调典雅；

偶有画面，只用颜色，不用墨色，谓之"没骨"。骨即墨色，可见墨在中国画中至关重要、无可替代的位置。可以说，没有墨就没有中国画。

中国画的分类非常繁杂，名称极多。从题材内容上，习惯分为人物、山水、花鸟、楼台、走兽、博古等；从画面笔墨繁简的程度上分为写意、工笔、大写意、半工半写等；从设色上分为青绿、金碧、浅绛、水墨等；从技法上分为白描、双钩、单线平涂、泼墨等。中国画在画成之后，要经过装裱工序。一经裱褙，绫托锦衬，高贵大方，并具有很强的赏玩性。中国画的装裱十分考究，款式繁多，一般分为卷轴、镜片、扇面、斗方、册页等，卷轴画中又分为中堂、条幅、对屏、通景等。中国画常常把装裱款式上的分类作为第一位。

现今留下的最早的绘画，是画在山岩峭壁上，距今五千年以上；后来渐渐移到绢素上，成为单纯观赏性的艺术。开头是无名的工匠为之，此后才有专业绘画的画家出现，此时距今也有两千年了。中国绘画历经许多朝代，在历史江河的百转千折中，涌现出无数照耀古今的杰出画家和啸傲一时的流派。时风的变迁，致使绘画的面貌不断翻新更新；名家大师们独来独往、各立一帜，又使画坛千姿百态。形成了举世皆知、漫长悠远、异彩纷呈的中国绘画历史。本集在对百件中国画名作评介的同时，注意到前后贯穿的历史联系，并对历史发展中各种绘画现象的前因后果皆有论说。读者若能依照图文排列的前后顺序阅读，就能找到潜在其中的中国绘画史的梗概。倘若读者能从中得到"史"的印象，作者为本书付出的辛苦便有了最好的报偿。

一九九二年六月　天津

关于敦煌的艺术样式

——为纪念藏经洞发现百年而作

一

在我中华博大和缤纷的壁画宝库中，敦煌壁画特立独行，风格殊异，举世无双。它既与中原壁画，无论是寺观还是墓室壁画的面貌迥然殊别，亦与西域各窟的画风相去甚远。这区别不仅是文化意蕴的不同，地域风情的相背，更是一种极具个性的审美创造。只要我们的目光一触到敦煌的画面，心灵即刻被它这种极其强烈的独特的审美气息所感染！从艺术上说，敦煌壁画是东方中国乃至人类世界一个独有的样式，这便是敦煌样式。如果我们确定这一个概念，我们就会更清晰地看到它特有的美，更自觉地挖掘其无以替代的价值，并甘愿被征服地走入这种唯敦煌才富有的艺术世界中去。

然而，敦煌样式源自何处？它经历怎样的形成过程？哪些是它的审美特质？谁又是它的缔造者？

写到这里，我便感到自己已然置身在一千年前茫茫戈壁滩那条响着驼铃的丝绸古道上了。

二

在海上丝路开通之前，中国面向外部世界的前沿在西部，其中一扇最宽阔的大门便是敦煌。博大精深的中华文明自神州腹地中原喷涌而出，经由河西走廊这条笔直的千里通道，穿过敦煌，向西而去，光芒四射地传布世界。

同时，源自西方的几大文明，包括埃及文化、希腊文化、西亚文化，以及毗邻我国的印度文化，亦在同一条路线上源源不绝地逆向地输入进来。东西文化的交汇与碰撞，便在这里的大漠荒滩上撞出一个光华灿烂的敦煌。

然而，敦煌却不是东西方文化的混合物与化合物，也不是多种文化相互作用后自然而美丽的呈现。它有一个主体，就是中华文化。我们可以从莫高窟壁画史清晰地看到外来文化——主要是佛教文化和希腊化的佛教艺术渐次中国化的奇妙过程。但是中华文化只是一个大主体。它中间还有一个具体的强有力的地域性的文化主体，便是敦煌一带的历史主人——北方少数民族。

北方民族在中国历史上一直扮演着非凡的角色。从秦代到清代，统一的王朝总共有七个朝代，其中有两个朝代——蒙古族建立的元朝和满族建立的清朝就是北方民族政权。这两个朝代在中国历史上共占据了四百二十九年。但这还只是少数民族入主汉地建立的政权。如果再算上一些少数民族在北方割据性的地方性政权，他们在中国历史上发挥重要作用的时间至少六个半世纪。如果单说敦煌，它可从来就是北方民族专用的历史舞台了。

敦煌内外，除去祁连山和天山两大山脉，余皆一马平川的荒漠与渺无人迹的沙海；这里，骄阳似火，寸草不生，了无生息，寂寥万里；然而强烈的阳光却融化了山上的积雪，晶莹地渗入山脚的荒滩与沙碛，形成一个个鲜亮耀眼、充满生气的绿洲。这便成了游牧民族生息与传衍的地方。自先秦的戎、羌、氐、大夏，到两汉时期的塞人、胝人、匈奴人、乌孙人，都曾轮流地称霸于此。在莫高窟的开凿期，柔然鲜卑和铁勒突厥就是在这里当家的主人。而整个莫高窟的历史中，吐蕃、党项、回鹘、蒙古，都曾做过敦煌的统治者。中国的古城很少有敦煌这样的多民族都唱过主角的斑斓的经历。艺术是生活最敏感的显影屏。我们自然可以从莫高窟的壁画上找到这些昔日的主人们形形色色奇特的音容笑貌，精神气质，以及他们独有的文化。

首先是洞窟唯一的写实人物——供养人，照例一律都是当时流行的装束与打扮。于是，我们便能看到这些北方各族虔诚的信徒，侍立在他们所敬奉的神佛一侧最真切的模样。倘若仔细端详，在不同民族称雄敦煌的时代，那些神佛的形象也微妙地发生了变化。人们信手画出的人物，总是与自己所熟悉的民族的、国家的，乃至地域人的容貌相似。故此，这些神佛的面孔往往也带着自己民族的印记。比如西夏时代那些长圆大脸、高鼻细眼、身材健硕的菩萨，倘若换上凡人衣履，干脆就是纵马狂奔的强悍刚猛的党项族的壮汉。

这样，无论是鲜卑、吐蕃、党项，还是回鹘与蒙古，都曾给敦煌带来一片崭新的风景，注入新的活力以及独具的文化内涵。习惯于绕行礼佛的吐蕃人，不仅带来一种在佛床后开凿通道的新型窟式，带来《瑞象图》、带来了日月神、如意轮观音和十一面观音，更带入藏传的佛教文化；党项人不单给敦煌增添神秘的西夏文字、龙凤藻井和绿壁画，而是注入了一种带着女真族和契丹族血型的西夏文化；在敦煌听命于蒙古人的时代，窟顶上布满的庄重肃穆的曼陀罗只是一种异族风情的表象，关键是这一时期，忽必烈为莫高窟进一步引进了源自印度、并被藏族发扬光大的密宗文化。

北方民族之所以都为莫高窟作出贡献，是由于他们全部信奉佛教。他们身在华夏之西端，最先接受外来的佛教并将其中国化。在酷烈和恶劣的自然环境里，这些游牧性质的民族，生命一如荒原上的飞鸟走兽，危险四伏，吉凶未卜。对命运的恐惧时时都在强化着他们对神灵的敬畏与企望，信仰便来得分外虔诚。这一份至高无上的心灵生活就被他们安放在莫高窟中。尽管敦煌的权位常常易主，莫高窟却永远是佛陀的天下。在这里，人最绝望的痛苦——死亡得到了最美好的解释，世间的折磨得到抚慰，不安的灵魂归宿于绝对的宁静。这佛陀的世界不是上古时代各族先民们共同的理想国么？

同时，共同的理想也在融会着他们彼此相异的文化，而这最深刻的融会成果，是凝结成一种文化精神。

那么在这个层面上，我们所要注意的不再是壁画上各个民族特有的形象、方式与文化符号。而是他们共同的一种气质。不论他们各自是谁，他们全都在河西、西域，以至连同中亚的广阔而空旷的大地上的奔突与驰骋。他们和他们拥有的马群与羊群混在一起，追逐着鲜美的青草与甘洌的溪水，以及丝绸之路上的种种机遇，从而获得生命的鲜活与民族的延续。他们彼此之间一直是一边友好交往，一边为夺取生存条件而相互厮杀；相互依存又相互对抗，相互学习又相互争夺；他们的精神彼此影响，性情彼此熏染，热辣辣并虎虎生气地混成一片。相异的历史形成他们各自的风习，相同艰辛的生活却迫使他们必备同样的气质，那就是：勇猛、进取、炽烈、浪漫、豪放，与自由自在。

就是这种北方各民族共有的精神气质与文化特征，形成了敦煌样式深在的文化主体。

三

北方民族的这种文化主体，不是一种实体性质的文化。它不具备中原的汉文化那样的系统性和完整性，也不像汉文化吸纳外来文化时，表现出那么清晰和有序的演变过程。但是作为北方民族一种共有的和整体的精神气质，却顽固地存在着。不管来自域外或中原的文化如何强劲，这种精神气质却依然故我。

从莫高窟历史的初期看，域外文化与中原文化的影响总是交替出现。有时是由西域石窟直接搬来的域外的面孔（如北魏和北周一些洞窟的彩塑与壁画），佛之容颜全是外来的"小字脸"；有时则是本地魏晋墓室壁画固有的那种中原作风（如西魏和隋代一些洞窟壁画），连佛本生的故事看上去都像中原的传说。但，即使在这一时期，我们也能看到两条脉络：一是中华文化主体的渐渐确立；一是西北民族的主体精神渐渐形成。若说中华文化，即是世俗化、情感化、审美的对称性，雍容大度的气象，以及线描；若说西北民族的精神，则是浪漫的想象、炽烈的色彩、雄强的气质，辽阔的空间，还有动感。

敦煌样式的成熟与形成是在莫高窟的鼎盛期——也就是从初唐到盛唐。到了这个时期，中华文化的主体牢牢确立，西北民族精神气质从中成了敦煌的主调。

这首先应归功于大唐盛世。当大唐把它的权力范围一直扩展到遥远的中亚，客观上敦煌就移向了大唐的文化中心。唐代是中原的汉文化进入莫高窟的高潮，从儒家的入世观念到艺术审美方式，全方位地统治并改造了莫高窟的佛陀世界。

只有自己的文化处于强势，才能改造乃至同化外来文化。对于外来的佛教来说，中国化就是文化上的同化。所以佛教的中国化和佛教艺术的中国化，都是在大唐完成的。这个中国化的结果便是敦煌样式的形成。但关键的是，确立起来的敦煌样式极其独特，它与中原的大唐风格全然不同。如果把莫高窟第四十五窟的壁画与陕西乾县章怀太子墓和永泰公主墓的壁画相比较，竟如天壤之别，完全是两种不同的模样！这不仅是儒家和佛家境界的区别，绘画传统与审美习惯的差异，更是汉族与西北少数民族的精神气质的迥然不同。

应该说，在强盛的大唐文化融化了莫高窟，并且进行再造的同时，西北民族把自己的精神溶液兑了进去。这样，如果我们再去看榆林窟三窟的《普贤变》与莫高窟三窟的《千手千眼观音》——这两幅标准的地道的中原风格的壁画，反觉得它们有些异样。尽管这两幅中原式的壁画当属超一流的杰作，但它们身在敦煌，却好似孤立在外，缺乏敦煌壁画一种特有的东西——那种独一无二的敦煌样式与敦煌精神，还有敦煌的冲击力和魅力。

四

在莫高窟作画的画工总共有多少人？从来无人计算，也无法计算。敦煌石窟的历史上下千年，壁画的面积四万五千平方米。历代画工的总数自然是成千上万。他们都是从哪里来的哪个族的画工？来自中原还是西域乃至遥远的印度，抑或是本地的丹青高手？回鹘族？党项族？藏族？蒙古族？还是汉族？在漆黑的洞窟中，偶然被我们发现到的写在壁画上的画工的名字，也不过十来个而已。从这些由画工们作画时随手写上去的自己的姓名看，如雷祥吉、温如秀、史小玉等，多半是汉族；但平咄子、汜定全等显然是北方民族的画师了。这些奇特的姓氏在中原是绝对见不到的。

从河西到西域那么多石窟，壁画的需求量极其浩大。而且它们地处边远，绝少人迹。在那个最多只有驴马和骆驼代步的中古时代，绝不会有大批中原画家来"支边"。故此敦煌的画工主力一定源自本土；既有汉族的，也有各少数民族的。北方民族的画工对于敦煌的意义，是他们亲手用画笔来把自己的人生梦想与审美追求形之于洞窟中。至于那些生活在当地的汉族画工，也自会去努力投合本地的窟主——那些富有的供养人的习惯与偏好。这在客观上，就与北方民族画工的精神风格"主动地"保持一致了。

然而，这个由始以来就处在东西方文化交汇处的敦煌，对外来的新事物一直保持着高度的敏感与好奇，很少保守和排斥。从不断进入莫高窟的东西方的两方面的画风看，来自西域乃至印度的风格一直是固定不变的，而来自中原的画风却常常随同时代的更迭而花样翻新。这些变化在洞窟中留下划时代的美的变迁。但是由于供养神佛的窟主往往是西北民族，画工常常又是西北民族，中原文化进入莫高窟的同时，便被改造了，变成一种"敦煌"味道的壁画。在文化的传播中，只有被当地改造并适应当地的文化的才能驻留乃至扎下根来。这便是敦煌样式形成的深层过程。

等到敦煌样式真正成熟之后，后代画工便会自觉或不自觉地依循这个样式来作画。即使是最优秀的中原的绘画技术，如唐代的大青绿画法，宋代山水技法以及唐宋人物画的线描技法等，也不能取而代之，必须以迎合的姿态融会其中。至此，敦煌的样式才是真正的独立于天下。

五

我们若用西北民族的精神语言去破译敦煌，一切便豁然开朗。

敦煌艺术的冲击力，首先来自那些在大漠荒原上纵骑狂奔的西北人不竭的激情。这激情在洞窟内就化为炽烈的色彩和飞动的线条，以及四壁和穹顶充满动感的形象。比起山西永乐宫、河北毗卢寺、北京法海寺、蓟县独乐寺那些中原壁画，后者和谐雅丽，雍容沉静；前者浓烈夺目，跃动飞腾；神佛也都富于表情，个个神采飞扬，不像中原壁画中的那些面孔，大多含蓄与矜持。至于在敦煌的壁画上处处可见的飞天，则离不开西北人对他们头顶上那个无限高远的天空的想象。那里的天宇，比起中原内地，辽阔又空旷，浩无际涯，匪夷所思；在这中间，再加上他们自由个性的舒展，佛教中的乾闼婆和紧那罗，便被他们发挥得美妙神奇，变化万端。他们还把这神佛飞翔的天空搬到洞窟里来，铺满窟顶；世界任何石窟的穹顶也没有敦煌这样灿烂华美，充满了想象。西北人如此痴迷于这窟顶的创造，是否来自他们所居住的帐篷里的精神活动？反正那些源自印度犍陀罗窟顶的藻井，早已成了西北民族各自心灵的图案了。

习惯于迁徙的西北民族，眼里和心中的天下都是恢弘又浩大。为此，在华夏的绘画史上，他们比中原画家更早地善于构造盛大的场面。兴起于隋代和初唐的《阿弥陀净土变》《观无量寿经变》和《西方净土变》，展现的都是佛陀世界博大又灿烂的全貌。我们暂且不去为画工们的构图与绘画的杰出能力而惊叹。在此，我们应该看到的是，这种对理想天国热烈和动情的描绘，恰恰表现了在艰辛又寂寥的环境生存着的西北民族的精神之丰富和瑰丽！

饱满华美，境界宏大，充满激情，活力沛然，想象自由，情感浪漫，以及它无所不在的动感与强烈的装饰性，都是西北民族的整体个性的鲜明表现。它对外来文化的好奇与吸纳，表现了地处中华丝路前沿的人们文化的敏感性；它种种图案乃至花边与花饰，虽然各有特色，并都是各民族自己的文化符号，但在汉人眼里它们却是同一种异样的形象；至于敦煌壁画分外有力的流动感与节奏感，叫我们联想到那些响彻从中亚到我国西北的那些异域情调的胡乐。敦煌不是浓浓地浸透着这种西北民族独有和共有的文化么？

一般看上去，西北民族比较分散，各有各的历史及民族特征，谁也没在敦煌石窟中形成自己的气候。而且它们又处在中原文化强势的笼罩中。这样，我通常只把敦煌艺术当做中华文化中的一部分，最多仅仅是带着一种地域风格而已。

现在应当确认，敦煌艺术是中华文化的一部分，但它不是一个派生的和从属的部分，而是其中一个独立的艺术样式与文化样式。对于丝路上东西方的文化交流，整体的中华文化是敦煌石窟的文化主体；对于中华文化范围内各个民族和各个地域之间的多元交流，西北民族是敦煌石窟的主体。只有我们确认这个主体及其独具的样式，我们才是真正读懂了艺术的敦煌。

元代的敦煌留下一块古碑，它刻于一三八四年（元至正八年）。名为"六字真言碑"。所谓六字真言碑即碑上所刻"唵、嘛、呢、叭、咪、吽"六字，分别为汉文、西夏文、梵文、藏文、回鹘文、八思巴文六种文字。这六种文字在当时都是通用的。

石头无语，文字含情。它无声却有形地再现了敦煌当时生动的文化景观。那就是西北民族在历史舞台上的活跃与辉煌。

站在这个意义上，我们就会更自豪地说敦煌艺术天下无双。

六

促使本文写作冲动的直接缘故，当是书中这些迷人而珍奇的照片，这些堪称佳作和力作的照片，全都出自摄影家吴健之手。穿过他那个"非常专业"的摄影镜头，我们强烈地感受到大西北雄奇的风物和灿烂的历史创造，并且不知不觉沿着他的摄影路线往下走去——我们始发于唐代故都西安，途经扶风天水，翻越崆峒六盘，直穿河西走廊，抵达安西敦煌，再出阳关玉门，远涉西域诸城……这样一路下来，已是满目璀璨；处处山水，别有奇丽，人文风景更是异变无穷。我忽有所悟，这路线不正是当年张骞、法显、朱士行和玄奘的西征之路么？待要从中寻找上古先贤们那些英雄般的足迹时，又有所悟，吴健这一路所拍摄下来的遗址与石窟，不就是昔时东西文化交流留下的一个个清晰的见证么？

在这些照片上，风物仅仅是自然环境，人文历史才是它的主题。稍稍留意，就会发现，吴健的摄影路线就是依循着千年之前东西文化往返传播的路线。当我们的想象在这条路线上缤纷地展开时，吴健才不慌不忙地为我们捧出了美丽的敦煌。没有辽阔的横向视野，就没有纵向深入的思维的穿透力。显然，吴健的镜头里有一种大气磅礴的历史观了。

也许由于我从事创作的习惯，画面形象最能调动我的灵感。我一看吴健这些表现西域和河西的空间浩博的照片，眼前即刻全是纵骑狂奔的西北民族轮廓坚硬的面孔。比起对敦煌样式的本质认识得更早，就已经从石窟中看到了那种属于西北民族的剽悍又浪漫的精髓了。

谁的摄影作品能启发出这种理论思考？

吴健首先是一位颇具才气的摄影家。他天性豪爽重义，又耽于思索。大西北这片无边无际的荒沙大漠，正契合了他放达又含蓄的天性。在这片天地里，没有复杂的构成，没有过多的细节累赘，没有暧昧的光线。它开阔、明朗、流畅，又宁静和清纯，有时还略带一点忧郁；这既是西部的风格，也是他作品的风格。两种风格的重合——也许正是这位出生内地的摄影家，偏偏定居在千里之外的边地敦煌的真正缘故。

然而，这位供职于敦煌研究院的摄影家，又是一位敬业的敦煌文化工作者，他那终日在壁画上流连的镜头，不仅是对美的寻觅和记录，更追求一种发现。这发现不仅仅停留在壁画表层，还进入思考的深层。这样，他才奔波万里，历尽辛苦，为我们拍摄下相关于敦煌的浩瀚的版图，使我们能从中来认识敦煌更巨大与深在的价值。

那么，读者从中是否也会另有心得与发现？吴健和我，都期待着。

二○○○年四月六日

大树画馆内放着许多我喜欢的东西。

民间艺术的当代变异

    如果把唐宋墓中出土的陶制玩具与当下乡村的泥玩具放在一起，就会惊奇地发现它们几乎一模一样，为什么？

    民间艺术与精英艺术最大的区别是，后者因时而变，因人而变，而且是主动地变。最有代表性的一句话是石涛所谓"笔墨当随时代"。然而，民间艺术却是历久难变的。这因为，民间的审美是共性的审美，必须是这一地域人们的审美都变化了，它才会悄悄地发生改变。但是在漫长的古代农耕社会，人们生活的内容和方式基本上是一成不变的。一个个相对独立的地域——或是深藏在谷壑里的山庄，或是江河相隔的村落，大多是在封闭状态中静静地生息与传衍。因之，许多古老的文化形态总是在民间存活得很久很久。比如闽地的南音、纳西古乐和河南的泥泥狗，无怪乎人们称它们为古文化的活化石了。

    当然，民间艺术并非全都不变。即使变，也会非常缓慢。一般的规律是，交通方便的地方，比较容易发生变异。

    从民间艺术史来看，民间艺术的全面发生变异是在近代。一方面外来文化的涌入，冲击了人们的审美习惯；另一方面则由于现代城市的崛起。城市文化是十分敏感的，它们是一种强大的不断更新换代的审美的源，向广大乡间放射，产生影响。愈是挨近城市的地方，民间艺术的变异就愈明显。这种变异是不可克制的，也是正常的文化现象。

    然而，更强烈的变异却发生在当代——当前！现代化、工业化、乡村城镇化以及媒体、科技、生活方式、时尚，都对我们传承久矣的固有的民间艺术发生根本性的冲击。一部分民间艺术处于濒危，正在消亡，这是我们都看到的；那么，另一部分依然"活着"的民间艺术是怎样的呢？

那些摆在各个旅游景点的小摊上的艳丽又奇特的布挂、面具、布老虎，那些画在各个民俗村屋梁房柱上的怪异的图案，以及竖在那里的匪夷所思的图腾柱、旗幡与神像，或是一群群穿着半似民族服装、半似戏装的年轻人跑过来跳一段不知所云的舞蹈……谁会知道这些民间艺术是真是伪，反正有点特点就行。

特点就是旅游的最大卖点。

在全球化商品经济的时代，正在退出历史舞台的民间文化，大概只有转化为旅游对象才能生存与延续下来。同时，旅游产业也必须拥有这一份巨大的必不可少和用之不竭的文化资源。民间艺术原本是一种地域的生活文化，一种民俗方式，当它转变为一种经济方式时，便在本质上发生变异。表面看，好像是题材与风格发生了变化——唐老鸭与圣诞老人进入了剪纸，迪斯科的动律渗入了民族舞蹈。其实远非如此。从深层看，民间艺术中那种自发的、纯朴的、天真的精神情感不见了。代之便是涂红抹绿，添金加银，着力对主顾的招徕与诱惑。它的特色被无度地夸张着，它内在的灵魂与生命却没有了。

过去乡间妇女在缝布老虎时，心中想着的是生命的阳刚之气与避邪之威，现在却和批量地加工布娃娃没有两样。

商品化是民间艺术的当代变异。这种变异正在全国各地普遍发生着。这种貌似"茁壮成长"的民间艺术，在文化意义上却是本质性的消亡。难道民间艺术只有这样一种出路吗？其实我们现在这种将民间文化直接而功利地转化商品的做法来源于美国。这只要到夏威夷看一看美国人如何将土著人的民间舞蹈转化为穿着草裙为游客廉价地表演就行。他们是设法把民间艺术变成美元。世界上还有另一种对待自己传统和文化的方式——在欧洲和日本，那就是保持住民间艺术中那种对生活的虔诚与执着，把民间艺术视为一种传统精神。他们是真正懂得自己民间艺术的价值和美感的。为此，民间艺术一直是他们民族情感与精神的载体之一。

我知道，在当今这样做何其困难。所以，普查与记录原生态的民间艺术就是迫不及待要做的事了。就其目的来说，就是——不只为了记录一种文化形态，一种充满情感的美，更为了见证与记载一种历史精神。

二〇〇三年十月七日

民间审美

　　那些出自田野的花花绿绿的木版画，歪头歪脑、粗拉拉的泥玩具，连喊带叫、土尘蓬蓬的乡间土戏，还有那种一连三天人山人海的庙会，到底美不美？

　　自古文人大多是不屑一顾的。认为都是粗俗的村人的把戏，难入大雅之堂。故而这些大多为文盲所创造的民间文化一边自生自灭，一边靠着口传心授传承下来。

　　当然，在古代也有一些文人欣赏纯朴天然的民间文化，大多是些诗人。他们的诗中便会流淌着溪流一般透彻的民歌的光和影。从李白到刘禹锡都是如此。但是，古代画家则不然，他们崇尚文人画，视民间画人为画匠，很少有画家肯瞧一眼民间绘画的。美术界学习民间的潮流还是在近代受到了西方的影响。西方的绘画没有"文人画"，所以从米开朗基罗到毕加索一直与民间艺术是沟通的。在他们的心里，精英的绘画是"流"，而民间艺术却是一种"源"。

　　在人类的文化中，有两种文化是具有初始性的源。一种是原始文化，一种民间文化。但在人类离开了原始时代之后，原始文化就消失了。民间文化这个"源"却一直活生生地存在。

　　精英文化是自觉的，原始文化与民间文化是自发性的。"自觉"来自于思维，而"自发"直接来自生命本身。它具有生命的本质。所以，西方画家总是不断地从原始与民间这两个"源"中去吸取生命的原动力与生命的气质。

　　所以说，生命之美是民间审美的第一要素。

　　可是，民间文化从来都只是被使用的。被精英文化作为一种审美资源来使用。它的本身并没有被放在与精英文化同等的位置。

在近代，人们对民间文化所接受的一部分，也都是靠近"雅"的一部分。比如戏剧中的京戏，由于趋向文雅而能够受宠，而许多土得掉渣的地方戏仍然被轻视着，因而如今中国一些地方戏种已经到了濒死的边缘。再比如在民间木版年画中，比较城市化而变得精细雅致的杨柳青年画容易被接受，一些纯粹的乡土版画很难被城市人看出美来。

民间文化有自己独特的审美体系。包括审美语言、审美方式与审美习惯。陕北的那些擅长剪纸的老婆婆在用剪子铰那些鸡呀猫呀虎呀娃娃呀的时候，一边铰一边会咧开嘴笑。她们那种无声的"艺术语言"会使自己心花怒放。民间文化与精英文化的另一个不同是，民间文化是非理性的，纯感性的，纯感情的。这种感情是一种鲜活的生命和生活的情感。有生命的冲动，也有生活理想。有精神想象，也有现实渴望。他们这种语言在广大的田野与山间人人能懂。一望而知，心有同感，互为知音。

因此民间审美又是一种民间情感。懂得了民间的审美就可以感受到民间的情感，心怀着民间的情感就一定能悟解到民间的审美。我们为什么只学英语，与洋人交流；偏偏不问民间话语，与自己乡民村人交谈，体验我们大地上这种迷人的情感？何况这是一种优美而可视的语言。这种语言坦白、快活、自由、一任天然。没有任何审美的自我强迫，全是审美的自发。它们不像精英文化那样追求深刻，致力创新，强调自我。它们不表现个性，只追求乡亲们的认同；它们追求的实际上是一种共性。至于某些民间艺人的个性表露也纯粹是一种自然的呈现。他们使用的是代代相传的方式。纵向的历史积淀的意义远远超过个人超群的价值。它们最鲜明的个性是地域性，它们的审美语言全是各种各样的审美方言。所以民间审美的重要特点是地域化，也就是审美语言的方言化。这便使民间审美具有很浓厚的文化含量。

写到这里，我便弄明白了——过去我们判断民间艺术美不美，往往依据的是精英文化的标准。这样，我们不但只接受了民间艺术很小的一部分，而且看不到民间艺术中的文化美，也就是民间审美的文化内涵。

今天，我们正处在农耕文明时代向工业化的现代文明的转型期。农耕时代的一切创造渐渐成为历史形态。我们应该从昔时的看待民间文化的偏见性视角与狭义的观念中超越出来，从更广更深的文化角度来认识民间文化，感受民间独特的审美。从而将先人的创造完整地变为后世享用的财富。

二〇〇二年十二月

一九九四年九月由朝日新闻社主办"冯骥才现代中国画展"在日本东京中日友好会馆展出。此为我在开幕式致答谢词。

以假当真

那年，在伦敦街头巷尾一家小小饭店与当地的几位作家聚谈，有两件事至今犹然记得。一件是这家小店的外墙如同室内那样粉刷成白色，而店内的墙面反而是砖砌的，一如外墙，从外边走进这家小店，反倒像由屋内走到大街上坐下来吃饭，这感受甚是奇异！另一件是这几位作家中，滔滔不绝者所说的话，过后叫我一句也记不得；但其中一位下巴蓄着小胡、死守着缄默的老头儿，忽然蹦出口的几句话，倒叫我深记难忘。后来从报上才知道他得了诺贝尔文学奖，便是写《蝇王》的威廉·戈尔登。

他忽然问我：

"中国画家为什么用黑颜色作画？"

黑颜色，中国人谓之墨。他所说的便是水墨画。我答道："因为黑色是一种语言，就像黑白照片……"他听了似乎不以为然，我又说："因为黑色是最重的颜色，与水调和能调出深浅不同最丰富的色调，其他颜色很难调出这样多的色调……"他的神情依然肃穆不动。我想了想再说："因为中国人从来不把画当做真的。怎么……你不能理解吗？"

他像被什么打中了那样，身子一震，眼睛放光，声音好似更亮，他说："不不，中国人真棒，真是棒极了！"他摇头晃脑，赞叹不已。

无须我再多说一句，他已经理解了，而且一下子也理解了中国艺术最伟大的特征之一——以假当真。东西文化的不同，被他以一种感悟沟通了。艺术的道理对于他这种人，一点即透，毋须多言，我朝他欣赏地点点头，他也会意，一笑便了。

墨之黑，本来只是缤纷世界千颜万色中的一种，但中国人用它描绘一切。为什么不失却真实，也绝不会引得人笨拙地问：这树为什么是黑的？荷花为什么是黑的？麻雀为什么是黑的……难道人的嘴会是黑的吗？

　　在中国的章回小说中，每回结束必写一句话，"欲知后事如何，且听下回分解"。难道同样，在京剧《三岔口》中，任堂惠与刘利华的全部"夜战"，竟然都是在灯火通明中进行的。为什么没有观者指责这种不真实已经近乎荒唐，反倒看得更加津津有味。在中国的戏曲舞台上，一根马鞭便是一匹千里神骏，几个打旗的龙套便是浩浩三军；抬一下脚便是进一道院或出一道门。西方人面对这些可能惊奇莫解。中国人却认可这就是艺术的真实。

　　中国艺术家为什么敢于如此大胆地以假当真，将读者与观众"欺弄"到这般地步，非但不遭拒斥，反而乐唱唱地认同？我想，中国的艺术家更懂得读者与观众的欣赏心理——假定这是真的。

　　其实，无论是东方还是西方，没有任何一个读者或观众会把一部小说当做真实的事件，把一幅画当做真实的景物，把一出戏当做真实的生活场景，只不过东西方艺术家对此所做的全然是背道而驰的罢了。

　　西方戏剧家从易卜生到史坦尼斯拉夫斯基，都在努力使演员进入角色，演员在舞台上必须忘掉自己，舞台不过是"四面墙中抽掉一面"的生活实况，观众好像从钥匙眼里去看别人家中发生的事；然而在中国的戏剧舞台上刚好相反，《空城计》中诸葛亮唱完后，轮到司马懿唱时，诸葛亮可以摘掉胡子，使手巾擦擦汗，喝口茶水润润嗓子，因为他完全清楚观众知道这是唱戏。戏是假的，只有演员的艺术水准和功夫才是货真价实的。这样，东西方的剧场也就截然不同。在西方的剧场里，观众不敢响动，甚至忍住咳嗽，怕破坏剧场的气氛，影响真实感；但在中国的剧场里，观众却哄喊叫好，以刺激演员更卖力气；对于中国观众来说，这种剧场高潮往往比戏剧高潮更能得到满足。

　　西方的古典画家同样把真实视为最高的艺术法则。他们采用焦点透视、光线原理与人体解剖学来作画，尽力使观众感到物象的逼真如实，而中国画家却用黑色描绘山水、花鸟和人物，为了表达的自由，他们将"泰山松、黄山云、华山石、庐山瀑"超越时空地集于一纸，这种透视不依据眼睛，而是依据心灵（现代美术理论家称之为"散点透视"），他们甚至还把诗文图鉴都搬到画面上来，与画中种种形象相映生辉。因为中国画家知道观者要看的，不是生活的，而是生活中没有的。比如画中的意境、品格、情趣以及笔墨的意蕴。

至于小说，更是如此。

西方的小说家着意刻画他笔下人物皮肤的光泽，衣服的质地与眼神种种细微的变化，努力把他的读者导入如实的感受和逼真的情境中；中国人的小说家则只用"沉鱼落雁之容，闭月羞花之貌""熊腰虎背，声如洪钟，力能扛鼎"之类的套话来形容一位美女或英豪。因为中国的小说家知道读者更关注的是这些人物超乎意料的行为，以及故事怎样一步步更牢牢地抓住他们向前发展。

以假当真，不是艺术家非要这么做不可，而是读者与观众需要这么做。

中国的艺术自始就立在这一点上。因为艺术家深知艺术不是重复生活，而是超越生活。艺术，也正因为它是生活中没有的，所以才更有存在价值。

音乐不是大自然的声音，诗不是生活用语；小说当然不是生活的记录，画当然不是现实事物或景物的重现。人们日日生活在现实里，何须你再来复制一个现实？这也正是自然主义最没有艺术价值的缘故。

西方的写实主义蓬勃于没有摄影和电影的时代。自从人类发明了照相机和摄影机，写实精神在西方艺术中便不是至高无上的了。而中国人就像明白罗盘的原理那样，早早地就明白了艺术不是复制生活的法则，从不崇拜写实，从不顺从器官的感受，而听凭心灵的感受，大胆地以假当真，创造了高明又伟大的东方艺术。倒是当代的中国人陷入愚蠢，把自然主义和摄影现实主义奉若神明。于是，文学只剩下表面上杂乱不堪的"感觉真实"，绘画坠入了模仿照相的技术主义。当毕加索、克里姆特从东方文明中悟到艺术的真谛，从而使西方的艺术更"艺术"，但他们哪里知道如今的东方艺术正在退化？

艺术由于它给予人们的都是生活中没有的，因故才叫创造。

创造都是由无到有，创造都是为了需要。

人们需要艺术，除去认识上的启迪，审美的享受，心灵的慰藉，闲时的消遣，还有好奇、愉悦、消解、释放，以及对生活和生命的种种的补充。

艺术家一旦明白这一艺术原理，现实生活就变得有限。艺术家在复制生活时常常陷入被动和无能，超越生活时才进入放纵和自由。诗人更加浪漫，小说家更富于想象。为此之故，中国古典小说的主要特征和主要魅力是传奇。

再说京剧《三岔口》，它不是依据漆黑的夜色——这视觉上的真实，而是抓住人们在黑夜里的动作特征——摸索和试探，这样不仅将灯火通明中的夜战表现得巧妙又可信，人物面对面的探头探脑和摸爬滚打反而更加妙趣横生。一招一式，惊险机智，又富于幽默，倘若把舞台的灯光完全关闭，一片漆黑，虽然真实了，却什么也看不见了。中国戏曲正是这样把戏当做戏，艺术创造上才能更自由。

至于中国戏曲舞台上的演员和角色，它们既是"合二为一"，又是"一分为二"。演员有时进入角色而表现角色，有时跳出角色表现自己。演员的技艺刻画了角色的能耐，演员的功夫又加强了角色的魅力。观众既欣赏到角色的本领，同时也欣赏到演员超凡的功力，得到双重的满足。演员与角色，真真假假，浑然一体。艺术家所能发挥的天地是双倍的。

那些"不求形似"的中国画家，更是水墨淋漓，满纸云烟，信手挥洒，尽情张扬自己的意趣与个性。对于这些画家，"眼中之竹不是手中之竹，手中之竹又不是心中之竹也"。这"眼中之竹"便是属于大自然的，"心中之竹"是超越自然而属于艺术家主观的、理想的和艺术的。于是，郑板桥的清灵潇洒，朱耷的悲凉寂寞，王冕的高洁脱俗，都不是来源于自然风物，而是活脱脱的深刻的自己。然而中国观众要看的也正是这些。

写到此处，方应说道，中国人真是懂得艺术。正像我曾对威廉·戈尔登所说："中国人从来不把画当做真的。"艺术家才获得天宽地阔的创造自由。东方艺术的特征，东西方艺术的区别也就因此而生。任何艺术的形成，一半靠艺术家的天才创造，一半靠富于悟性的读者与观众的理解。艺术史往往只强调前一半，可是谁来写一部读者史或观众史？

一九九五年八月八日　《文汇报》第七版

往事（往事）1992

新作中心に約50点。————

<ruby>馮<rt>ひょう</rt></ruby><ruby>驥<rt>き</rt></ruby><ruby>才<rt>さい</rt></ruby>現代中国画展

1994年**9月6日**(火)〜**9月10日**(土)

[開館時間] 10:00AM〜5:00PM 入場無料

●主 催 朝日新聞社 ●後 援 中国大使館 日中友好協会

日中友好会館美術館

東京都文京区後楽1-5-3

在东京展览的海报，海报上的画是我九十年代的代表作《往事》。

中国雕塑史四题

我国是雕塑大国，其历史成就堪与古希腊以来的西方雕塑比肩并立。但是在数千年历史进程中，中西雕塑相对封闭，除去在丝绸之路和佛教东渐时期，中国雕塑间接受到"西来"的影响，然不论其宗旨、法则、技艺、造型、审美语言，还是历史嬗变的历程，皆自成体系。本文设四题，对中国雕塑自身的一些特征进行探讨。

一、没有雕塑家的雕塑史

中国雕塑史始自远古，及至近代；数千年来景象万千，遗存杰作浩如烟海，然而若要从中寻找几位雕塑家，一定落得空茫。不像西方，从古希腊的菲狄亚斯、波利克里托斯、利西普斯到文艺复兴的米开朗基罗、多那太罗，再到贝尼尼，及至罗丹，大师巨匠如满天星斗。西方的雕塑史既可以其名作串联起来，也可以雕塑家的名字贯穿；中国的雕塑史则不然，所有经典作品，几乎都没有作者姓名；那些史书上偶见人名者，却不见其作。我们的雕塑史只是作品史，或是佚名的作品史。原因是什么？

其实艺史伊始，画工塑手全都是芸芸众生，渐渐才显露出声名。在我国由魏晋至唐，社会文化繁盛，楼阁寺观勃兴，一些擅长绘画与雕塑的人有了用武之地，才华如花绽放，颇受社会尊崇，他们的"大名"也为世人所知，如顾恺之、展子虔、陆探微、张僧繇、曹仲达、戴逵父子、僧佑、吴道子、周昉、杨惠之等，这中间有"光耀古今"的大画家，也有大雕塑家，不少人还多才多艺。有的是民间画师雕工中的佼佼者，也有的通晓诗词音律，本身就是文人。在那个时期画家和雕塑家是平起平坐的，彼此不分高低。《五代名更补遗》中是将绘画与"塑作门"和"雕木门"并列的，各种艺术互相影响，这情况挺像意大利文艺复兴时期。

可是，有一点值得注意，我们与意大利文艺复兴有一点不同：

宗白华先生在谈到文艺复兴时期时，说到一个重要问题，即西方的绘画与雕塑的关系问题。他说"西方的绘画受雕塑的影响"。这可能因为西方雕塑早在希腊时期就如日中天，其成熟先于绘画；在艺术上，成熟的一定要影响不成熟的。可是中国刚好相反——是绘画影响雕塑。比如，北齐时代佛造像出现的那种奇异又优美的"薄衣贴体"的风格，其来由一直令人困惑。我曾请教过钱绍武先生，他说"来自于中亚"。我想他对此肯定做过专题研究。因为北齐时代最具影响力的绘画语言是曹仲达的"曹衣出水"。曹仲达来自中亚的乌兹别克斯坦撒马尔罕（曹国）。正是这位画家从异域带来的时髦的画风，影响了风靡一时的北齐的雕塑风格。这是中国雕塑史上"绘画影响雕塑"一个突出的例证。

进而说，中国绘画对雕塑更本质的影响，主要在两个方面，一是中国雕塑强调线条，这因为中国绘画是以线造型；二是中国雕塑看重二维的正面效果，而不是三维的立体形象。二维效果正是绘画效果。

然而，西方文艺复兴与我们更"深刻"的不同的是对人性的解放和对个人的肯定（布克哈特），这样就把艺术从神权下解放出来，并使艺术家从芸芸众生中脱颖而出。相对之下，中国的雕塑主要是服务于宗教，只能去诠释宗教的本义，没有个人的思想精神与艺术精神，也就没有创造，真正意义的雕塑家从何出现？

这个问题到了宋代更加突出，宋代的绘画走向精英化。一方面是皇家建立画院，画家入朝封官，进入殿堂，身份由画工变为画师，个人才艺得到激扬，技术上日趋精熟；另一方面是文人画的出现，绘画在文人手中，渐渐成了个人心性与审美个性恣意抒发的文化方式，不再为神权也不为皇权服务，从而使绘画走上精英层面，真正意义的画家也就出现了，画家开始把自己的"大名"

堂堂正正题写在画面上。

但在这方面，绘画却没能影响到雕塑，雕塑始终站在原地没动。原因之一是这种与砖石木工打交道的事很难进入文人的书斋文房，也为文人所不屑；原因之二是在长期封建社会中，中国雕塑绝少为人立像，故古代普通人的雕塑形象只有从"代人送死"的明器（俑）中寻找。古代中国造像的主题始终是宗教偶像。制作偶像的人是没有地位的。所以，雕塑作为一种行业始终在民间，从未进入过精英层面，再高超的雕工塑手也被视为皂隶之流，没有任何社会地位，何名之有？这便是中国雕塑史一直看不到雕塑家的缘故。

没有雕塑家的雕塑，本身就不会有个人艺术上的自觉，也无理论；在我们的美术史籍中，有卷帙浩繁的画论，却几乎没有雕塑的论著。当然，也就很难看到明确的个人风格。

故此，我国对雕塑的鉴定没有个人风格的判定，只是时代风格和地域风格的判定。从时代风格上判定是纵向的，比如唐、宋、元、明、清等；不同时代有不同的风尚与审美，这很明显。张大千先生当年对敦煌莫高窟的断代，就是从窟中壁画与雕塑的时代风格来划分；但往往在时代更迭期间，风格上就难以区分了。从地域风格上判定是横向的，如山西、陕西、四川、福建等；各地有各自特有的气质、传统与使用的材料，特征便彼此不同；可是由于地缘上的影响和交流，相互又难以辨清。至于那些湮没其中的无名无姓的无数的天才艺人更是无从得知！

中国雕塑史有一定的模糊性。

每次面对着云冈石窟我常常有两种感情，一种是民族文化的博大雄厚，成就之灿烂与巍峨，使我感到骄傲与自豪。同时，由于找不到曾经那些千千万万才气横溢的创造者——具体的个人，又感到历史的空寥与不平。然而，历史是无法补救的，这恐怕就是充满遗憾的历史的本身了。

二、传神比解剖学更重要

中国雕塑史最令我困惑不解的是秦朝的兵马俑。在那个公元前两世纪——

中国雕塑的青春期，怎么会有如此庞大而纯熟的写实巨作突然出现？那浩浩荡荡、真人一般大小的武士们，不仅面孔逼真，衣装如实，又性格各异，连脚上鞋履都各式各样。这种严谨的写实风格的雕塑是秦朝以前不曾有过的。这是一种写实主义潮流突然的崛起吗？可是此后再见不到如此写实的雕塑，连这样大体量的人俑也从此绝迹。进入汉代的汉俑，又回到原始社会以来的写意和传神的传统中去。看一看霍去病前那一组著名的随形石雕和各地墓室中大量充满浪漫的意象色彩的画像石就清楚了。然而此后，中国的雕塑史的主流一直沿着这条道路走下去。秦兵马俑的写实风格居然只是这样昙花一现！中国雕塑与西方所走的是完全不同的道路。

决定西方古典雕塑本质的重要元素之一是解剖学。西方的解剖学在古希腊时代已经出现，经历了动物解剖到人体解剖，科学性上远远优于受制于长期封建社会及儒家思想的东方中国。

中国人在华佗之后就不主张开肠破肚，连医学也不问解剖。

在西方，直接受益于解剖学的除去医学，就是绘画与雕塑了。文艺复兴以来，达·芬奇、拉菲尔、米开朗基罗、丢勒、卢本斯等艺术史上领军人物都把解剖学切实引入绘画与雕塑，成为造型的根本和原理；达·芬奇本人还是对解剖学做过贡献的人。由是而下，西方的"艺术解剖学"油然而生。

中国的雕塑从来没有解剖学的成分，就像绘画没有透视学的成分。但是必须强调，不因为没有解剖学中国雕塑就不"科学"，不"真实"，就"落后"了，中国雕塑走的完全是另一条路，所建立的是"传神至上"的雕塑王国。在中国人看来，艺术的最高追求不是真实，而是传神。科学服从客观，艺术纯属主观。

上古时期，雕塑初始，人们手无技巧，如实摹写事物的能力相当有限，就将事物的特征与神态看做"艺术的根本与目的"。传神便成了中国造型艺术万古不变的宗旨。没有科学解剖学和透视学来支撑，反而帮了中国艺术的忙。不被事物的表象束缚，却可以舍末求本地去直取事物的根本——神。很早中国人就把为人画像称为"传神写照"（顾恺之）；不屑拘泥于表象的"形似"，明确提出了"作画以形似，见与儿童邻"（苏轼）的主张。

中国艺术的"神"字，很值得研究。这个神字，其实并非只是指客观对象的神态和神情；还有艺术家主观感受，这里边包括艺术家的神会（体验）、神示（感悟）和神采（个性化的艺术精神和审美精神）。

中国艺术所要传的神，是客观的神与主观的神融为一体的神，是广义的神，也是深层的神。

这样，中国艺术在本质上，一开始就具有主观性；艺术的关键不在对象上，而在作者自己一边；为此，中国雕塑的面貌便迥异西方。虽然在中国雕塑千千万万的历史杰作中找不到雕塑家的姓甚名谁，它们却无不闪烁着创作者非凡的主观感悟与精神。

三、从造像时代到工艺时代

中国雕塑史上一个重大转折在明代鲜明表现出来。

这个转折的背景，首先是宗教在宋代大踏步地世俗化——这世俗化在大足石窟里展现得淋漓尽致。及至明代，鲜有大型的露天的石窟再动工开凿。外来佛教的初期（南北朝），富于神秘的氛围与魅力，所有造像都带着一种新奇的吸引，也充满创造性，然而当它们融入了本土的文化，成为人们日常生活的一部分，这种新奇感便渐渐褪去，造像变得日益模式化。同时，由于宋代以来的城市高度发展，宗教生活更多转向室（寺庙与家居）内，规模相对较小的木雕泥塑成为主流，大型石雕渐行渐远。在明代，较大体量的室外石雕只剩下极少的皇家贵族陵墓墓道上的石人石马，以及成双成对的门狮，而且也很程式化。宋陵前的翁仲个个有血有肉，明陵前石人石马只是一种大型的配置与符号；至于陵墓内随葬明器中的陶俑，也变得愈来愈少愈小。传统的雕塑空间日益萎缩。可是，雕塑并没有由于宗教需求的削弱而转向现实生活，它转向哪儿去了呢？

它转向了服务于生活的装饰与工艺。

在明代，随着城市经济的发展和生活文化的丰富，各种装饰性和工艺性雕塑迅速发展起来。在中国的雕塑史上，这种装饰生活的雕塑自古有之，甚至是雕塑史的源头之一。我们能找到的雕塑史初始的证物，不就是各种人头陶瓶、狗形鬶、鸟形壶、人面或兽面埙，以及人身上佩戴的各种雕琢的饰品吗？而且秦汉以前陶器、玉器、铜器、金银器等方面的造型、制作和工艺，都已达到了极高的水准。装饰性雕塑是服从应用和满足需求的；应用要求愈高，制作工艺愈精。于是在明代，退下神坛的雕塑，在民间工艺上大放异彩。

明清两代是雕塑市井化、应用化、技能化而遍地开花的极盛时代。工艺雕刻的种类数不胜数。

可是由于我国民间生活事项过于纷繁，民间美术过于庞大丰杂，始终没有科学的标准的分类。二〇〇二年以来，我们在全国民间文化抢救性普查中也遇到这个问题。分类不清，就无法使调查和整理井然有序。二〇〇五年我们邀请一些国内民间美术学者共同研究民间美术的分类标准与方法，结果仍然没有取得一致意见，比方雕塑，除去单纯的雕塑作品，其他如建筑的内内外外、家居生活的各类物品、人身上的各种饰物，何处没有雕塑和雕刻？而且，各地的崇尚不同、审美有别、材料各异、工艺上各显其能，甚至各走极端，并在传衍已久中形成了各自的传统。这样，对其分类至今仍是一个无人能解的难题，同时也表明我国真是一个无比纷繁和绚烂的工艺大国，一个心灵手巧的国度。

在工艺时代里，雕塑的特点在于它的装饰性、精巧性、技能性、审美的地域性和审美心理的市井化。其负面的问题仍是与精英文化的脱节，与社会现实的脱节。因此在这样的时代里，更多是工艺名师的出现，却依然没有雕塑家站出来。

从根本上说，是长期封建社会不能为人立像的历史，在明代以后把疏离了宗教的雕塑挤进了生活装饰的大海中去。

这个历史不思考，我们就很难定义真正意义的中国现代雕塑，并使它站立在时代文化的前沿。

四、乡土雕塑的另类价值

在谈论中国的雕塑史时，我们会经常忘掉了自己另一大块"世界"，就是乡土雕塑。

乡土雕塑在广大乡间，与上述的城市中的工艺雕刻不同，乡土艺人为民间的精神和情感的需求而去雕塑。民间有高手能人，所以不乏精品。但这种人的姓名更加不为他人知晓，作品在民间或存或失，自生自灭。这也是所有乡土文化的生命方式。由于它过于草莽和草根，无人关切，所以乡土雕塑在艺术史上一直身处被遗忘的角落。

然而，它的历史最为久远，其源头直通远古。在原始社会，人们抟土凿石，雕塑偶像，表达信仰；或徒手捏造物象，抒发内心的情感。这种原发于心灵的艺术方式，在雕塑渐渐成熟、进而成为专业之后，却还有一部分如根一般深深留在大地中和乡野里，始终遵循着传统的自发与传神。特别是明代以后，城市雕塑走向工艺，乡土雕塑依旧如初。为此，我们把雕塑分为两大类，一是城市的工艺雕刻，一是乡野的乡土雕塑。这两类截然不同。

工艺雕刻在城市，材料考究，工艺讲求精湛与精致，题材为广泛的世俗生活，情趣世俗化，在市场中存活，雕工塑手推崇名师。

乡土雕塑一如远古，主要的题材是信仰的偶像。在民间，信仰并非真正意义的宗教。尽管有时也借用宗教偶像，那只是把它们拉来作为赐福给自己的神灵而已。由于生活与人生的需求广泛，民间自己创造的神灵偶像远远多于来自宗教的神佛。栾保群先生在《搜神》中收集到的古代民间神灵高达七千以上，我相信还远远没达到实际的数字。所谓古代的"泛神"产生的根由，即是每有一种实际的需求与向往，就造一个神灵。在没有进入现代文明之前，民间信仰并非"迷信"，更不是宗教，而是一种心灵企望的对象化，向天地索求而与之对话的一种依托的方式，一种面对强势的大自然的弱者的自我慰藉。在把这种偶像具象化时，就会有很大的想象空间；人们总是按照自己的需求，给它的职能、法力和形象以丰富的创造。

更有意味的是，民间信仰的偶像与宗教偶像不同，宗教偶像有定型和定式，民间的信仰偶像却不严格，可以自由发挥。宗教偶像庄严肃穆，信仰偶像与人亲和。在民间，人们在心理上担虑这些"掌控命运"的神灵与自己相距千里，求之不得，切望"神之格思"（诗经），所以在"造神"时主动将神灵与自己拉近，将神灵的形象人格化，平民化，亲切化，用以安慰自己。比如老虎是凶猛的，在民间崇拜中，人们借它来辟邪，保护儿童；但人们不是把它放的远远的，供奉它，而是把它戴在孩子头上（虎帽），穿在孩子脚上（虎鞋），叫阳刚的虎威和孩子的生命亲切地融为一体。再比如，民间信仰中护佑儿童的娘娘要比送子观音平和与随意得多了。虽然送子观音也是中国民间的再创造，但菩萨终究是佛教角色，必需庄重不阿；民间的送子娘娘来自民间自己的想象，因此常常被雕塑得慈爱宽和，看似邻居大妈，娃儿绕膝，或爬满身，甚至有的娘娘还给娃娃把尿。民间信仰更接近一种生活理想，这便给乡土雕塑极宽阔的想象与创造的自由。

因此说，民间文化的本质是非理性的，自发的，情感化的，理想化的，由生命直接生发出来的。在艺术上它不需要理论，只凭天性中的感悟与直觉。这也正是民间文化本质上与精英文化的区别。为此，精英文化因时而变，民间文化始终保持它原始的根性。这正是在人类进入冷冰冰的工业化的机器时代，渴望回过头去寻生命的本真和源头时，为什么总是向远古求索，到民间寻觅。因为一直直通着远古的是民间，是乡土。乡土里保持着活着的文化源头。

乡土的雕塑不讲究材料的高贵，多是就地取材；山石多就刻石，树多就雕木，山西黄土多就遍地泥塑；山西人吃面不吃米，还遍地面花。徽州人刻当地的青石，曲阳人刻本地盛产的大理石，四川的乡间都用房前屋后的砂岩造像。长久以来，人们使用着本土的材料雕塑，经验渐渐转化为特殊的技艺，再加上人们特有的地域气质，便成了乡土雕塑独有的魅力。这种魅力代代相传。艺术需要悟性，人的悟性有高有低，传到某一代，碰巧这代人天资和悟性高，技艺得到创造性的提升，一批才气洋溢的作品便留在大地上，也留在历史中。

然而由于过往的历史对民间生活的轻视，艺术史对民间文化的轻视，乡土雕塑无人关注，身世寂寞，境遇苍凉。它叫我想起俄罗斯作家契诃夫在小说《草原》中对那无比壮美又无比寂寞的草原心中充满不平的呼喊：

"你坐车走上一个钟头，两个钟头，路上碰见一所沉默的古墓或一块人形的石头，上帝才知道那块石头是在什么时候，由谁的手立在那儿的。夜鸟无声无息地飞过大地。渐渐你回想起草原传说，旅客们的故事，久居草原的人们的神话，以及凡是你灵魂能够想象的事情……你的灵魂响应着这美丽又严峻的乡土的呼唤。然而，在这美丽中，透露着紧张与痛苦，仿佛草原知道自己的孤独，知道自己的财富和灵感对这个世界白白的荒废了，没有人用歌声称颂它，需要它，人们好像听到草原悲凉又无望的呼喊：'歌手呵，歌手呵！'"

乡土雕塑大量的存世杰作，千姿万态的美，以及它承载的大量和无形的文化信息，但它至今仍是没有真正揭开的雕塑史的一角。特别是那些反映着古代中国人精神向往的千姿万态、神奇又优美的民间偶像，在艺术上并不亚于那几大石窟的经典巨作，但是如今已多数无人识得，能叫雕塑史这一角成为永恒的空白吗？

二○一四年八月六日

一九九五年在美国旧金山举办个人画展，冯宽（右）为我做翻译。

晋中绵山彩塑神佛造像研究

我国古代雕塑称雄于世界东方，其中最辉煌者当属神佛造像。华夏瑰宝，举世皆知，然晋中绵山大量精美的造像遗存，却从未出现在任何雕塑的图典中。因而说，此次我们与绵山神佛造像的邂逅，进而对此深入研究，具有非同寻常的意义。

这种发现是学术性的，故阐发研究的成果则必不可少。

一、宗教背景

佛教在绵山的出现，始于佛教初传我国的东汉建安年间。几乎与史籍记载第一位造佛像人——笮融同时，就有僧人爬到绵山摩斯顶上，以石砖铁瓦建造此地最早的佛教场所铁瓦寺。从此，佛教的足迹频频涉入绵山。

绵山深藏晋中腹地，谷壑幽深，云雾蒸腾，人迹罕至，静寂至极，自是僧人理想的修行之地。而山岩苍老，嶙峋多洞，这些大大小小的山洞又多在悬崖绝壁间，更是脱俗避世天造的禅房。于是，山中僧人日多，寺庙建造渐兴。北魏太和年间，高僧迪云来到绵山，遇到仙鹿、神僧、名岳、异钟等种种异象，遂请朝廷敕建寺院。这样，绵山宗教最具核心意义的抱腹寺便建造起来了。

真正把绵山的佛教推向繁荣的是净土宗祖师昙鸾。由于他时往绵山聚徒蒸业，开山立派，设坛讲经，盛弘净土，使得绵山很早就成为著名的净土宗的道场。现在山中还保留传说中昙鸾的一些遗迹。

及至唐代，另一位高僧田志超走进绵山创立禅林。田志超非凡的事迹被镌刻在明正德十三年（一五一八年）所立的《抱腹岩重建空王佛殿碑》上。碑上说大唐贞观年间，长安大旱，太宗向绵山祈雨，志超命弟子将淘米水洒向西方，顿获甘霖。转年，太宗礼佛谢雨至绵山抱腹岩下，恰逢田志超圆寂，空中忽现"空王古佛"四字。太宗便敕封田志超为"空王佛"，并下旨修建云峰寺。这便使绵山宗教更加兴盛。唐开元十一年左丞相燕国公张说撰文的《空王灵验台记》说，那时的绵山已是"朱甍翠桷，浮乎青霭，仙梵青灯，现乎沓冥"。到了晚唐时，绵山已经拥有"十土区大寺，百所伽蓝，三藏金经，十堂罗汉，铜钟一鼎，铁索千寻，百尺龙潭，三层凤阁，宾厅八位，客馆千楹……"（见《大宋抱腹岩回銮寺及诸寺院灵境之碑》）大诗人贺知章慕名来游绵山，以诗抒发情怀，这首诗当时就刻在《大唐汾州抱腹寺碑》的碑侧，至今还可以看到。大量的史料可以证实，唐代的绵山已颇负盛名。

绵山的道教可以追溯到春秋时的介子推。到了两汉，佛教涉入绵山的同时，道家人物也屡屡来造访这里的灵山圣水了。此后，几乎与佛教修建云峰寺同步——从贞观到开元年间，朝廷前后敕建天桥洞真宫、一斗泉洞真宫、大罗宫等道教寺观。到了宋代，神宗谕旨因介子推"有祷必从"而敕封洁惠侯，并在绵山举行封侯大典。道教活动呈现高潮。

发展到明代，绵山已成为晋中宗教的中心。在绵山，佛、道、儒以及民间各种信仰，互不抵触，彼此和合。山间各处，既有佛寺，也有道观，所谓"诸佛栖居地，群仙隐迹营。风光资圣化，岗埠壮天庭"。

然而，绵山这样一个繁盛的宗教中心，后来怎么会一点点衰落下来？到底它是从什么时候开始衰落的？这确是一个令人十分费解的谜。

有一种观点认为，明代正德十一年（一五一六年）是绵山由盛至衰的转折点。这一年，一场凶猛的大火，烧毁众多庙宇寺观，包括云峰寺的核心空王殿，山林环境也遭到破坏。大火之后，尽管一些寺庙得到大规模重修甚至扩建，香火依然兴旺。然而在明代，包骨真身却不再出现了。这是佛教的世俗化之使然吗？从深层思考，缺少信仰力量的功利主义是宗教衰落的真正的缘故。

再从现存绵山的造像遗存来看，清代造像数量极少——这倒使我们分外注意。为什么遗存至今的造像基本上是明代的而没有清代的？甚至绝大部分明代造像在清代（尤其是清代中晚期）很少再行修补和重装。答案只能是：清代绵山的宗教进入了衰落期，而且衰落得厉害。

经过长久的历史岁月，及至近代，又逢劫难无数。其中，二十世纪具有毁灭性的共有两次。先是四十年代日本兵入山纵火焚烧，道士被逐；后是七十年代"文革"期间的扫除与涤荡，住持的僧人被赶出山门。那时，山下大举修建"万人食堂"和"万头猪圈"，缺少建材，便到山上来拆取古庙的砖瓦。到了上世纪末，便经常有古董贩子爬到山上，偷盗佛像。至此，绵山宗教已沦落为一种"失落的文明"。故此说，绵山的神佛造像正是这种"失落的文明"幸存下来的历史遗产。

只有深刻地了解绵山宗教及其文化的近两千年的兴衰，我们才能更准确地把握和认识这宗遗产的历史真实及其价值。

二、遗存现况

如上所述，绵山宗教虽源远流长，积淀深厚，但后来走向衰落。及至近代，山中寺庙与造像处于渐进的消亡之中。既有恶意的人为的破坏与盗卖，也有风吹日晒，雨打雪浸，自然消损。历史遗存，必然是时间愈古老者，留存愈少。唐以前的造像现已无迹可寻，唐宋两朝所剩无几。

中国的雕塑与绘画不同，晋唐以来绘画走向精英化，绘画作者先被著录，后有署名；雕塑却从未精英化，基本上属于民间文化范畴。没有任何文献记载与著录，难做详尽考证。即使敦煌、云冈那些伟大的造像，也不知何人雕造。其雕造年代的确定是很大的难题，只能根据不同时代雕塑特有的形制、风格、艺术特征、年代感和制作方法，凭借鉴定者的学识与经验来进行推断。

此次绵山神佛造像的年代的确定，同样依据惯常的断代标准与凭借。对于个别的时代特征不鲜明者，本着"宁下靠而不上靠"的比较保守的原则，以保证造像年代的可靠。这样，被精选到本图集的造像，最早为宋元时期，凡十八尊，余皆明清时期；其中以明代最多，占百分之九十左右。由此可见明代晋地佛教造像的兴盛。这一点，从三晋神佛造像之精品多为明代（如平遥双林寺、灵石资寿寺、长治观音堂、原平惠济寺、新绛福寿寺、大同善化寺等）可以得到充分的证明。

需要说明的是，古代寺庙都是砖木结构，年深易朽；寺庙中的雕塑多为彩塑，日久便裂，彩绘的颜色会黯淡和剥落。这便要修补加固，施彩重绘，整旧如新，追求"重现辉煌"。往往一尊古佛，在漫长的历史过程中会重装多遍。这样一来，岁月积淀在雕塑表面的历史感必然消失，新的时代气息会覆盖原有的时代特点，使我们今天面对它时犹豫不决，难以断代。特别是有的造像重新装彩之后，表皮的时代感较近，但这表皮后面泥胎的姿态却很古老，这就更难决断它的年代了。例如：云峰寺的一尊菩萨立像（现藏大罗宫），气息古老而沉静，其袒胸赤臂的扮相、丰腴敦厚的面颊，尤其是胯部向左微倾——所谓 S 型的站姿，竟然带着一些唐风。然而，她只剩上半身了，两条手臂和下半身都缺失了（现在是补上去的），能够深入探讨与论证的重要细节没有了，只能把它断定为宋代。另一尊位于正果寺观音殿的观音塑像，无论娴静的气质、秀美的面容，还是极薄的衣袍，都具有宋代造像的特征。虽然这尊像经过多次修补与彩绘，历史的岁月感变得有限，但依其极鲜明的气质和衣装的特点，我们还是把这尊观音像定为宋代。这样的情况在绵山造像中比较常见，也是古代彩塑断代最难之处。

从中国的神佛造像的历史而论，早期石雕较多。绵山宗教历史悠久，理应有较多石雕木雕的造像，可现存的几乎没有石雕，连木雕也很少，绝大多数都是泥塑。估计石雕与木雕，易于搬动，多被盗卖。而泥塑造像又大又沉，易于碎裂，并多在丛山深谷之中，很难搬动。故而，这些泥塑的神佛才侥幸遗存下来。

再有，绵山宗教虽屡遭破坏，但其核心区域如云峰寺一直保存一些宗教活动，依稀的香火犹存其中。这些寺庙也就在力量微薄的修修补补中，维持下来。寺中各殿（如石佛殿、明王殿、罗汉殿、马鸣殿、五龙殿等）的造像自然也就留存较多。至于置身于更高山上的五龙躔和李姑岩两处诸殿的造像，则完全是凭仗着高山险阻遗存至今。在近年修成栈道之前，有些地段一直需要攀援铁索才能到达山顶。

在现存的神佛造像中，堪称奇迹的是十六尊高僧与道人的包骨真身像。

在古代，修行高深的僧人与道士坐化后，身体不坏，形神不散，便以其肉身为胎，制作成像，供人信奉。对此种真身像，其说不一，佛教和道教的典籍中都没有确切的说法，各地的称呼也不同。在佛教历史上的遗存中，最著名的"真身"，要算是禅宗六祖惠能（六三八－七一三年）。惠能的真身像至今保存在广东韶关的南华寺中，被视为佛教圣物。但他的真身不是"包塑"，而是涂上一遍遍的胶漆与香粉。此外安徽九华山的"肉身菩萨"也是妆漆和涂金。绵山这里使用泥彩"包塑"真身，是否与山西盛行彩塑有关呢？进一步的探讨可见拙著《绵山包骨真身像》一书。

在上世纪九十年代绵山开发中，对山中神佛造像分作两类加以保护。一类是对寺庙建筑犹存者，采用整修加固（如抱腹岩云峰寺诸殿、李姑岩诸殿等），基本保持原始形态和体量。寺庙中的造像仍置原来位置，不做移动；其中造像破坏严重者，则邀请专业泥塑艺人进行修补。这些造像现今仍具有宗教供奉的意义。

现经修复，保持原真形态的庙观殿宇凡二十五座。寺内塑像完好且水准高超者有明王殿、罗汉殿、五龙殿、白云庵、释迦殿、圣母殿、空王活佛真身石佛殿和正果寺。情况如下：

明王殿

位于云峰寺石佛殿西侧，始建年代不详。面阔三间，进深三间，悬山式，施斗拱。长六点四米，宽四点三米。正中供阿弥陀佛，左右胁侍观音、大势至二菩萨和迦叶、阿难二弟子。两侧为十大明王：（一）焰鬘得迦大忿怒明王；（二）无能胜大忿怒明王；（三）钵纳鬘得迦大忿怒明王；（四）尾觐那得迦大忿怒明王；（五）不动尊大忿怒明王；（六）吒枳大忿怒明王；（七）你罗难拏大忿怒明王；（八）大力大忿怒明王；（九）送婆大忿怒明王；（十）缚日罗播多罗大忿怒明王。明王像背后墙壁上到屋顶皆为悬塑，极其精美繁盛，展示天宫、人间与地狱三界，共彩塑六十八尊。

罗汉殿

位于云峰寺明王殿西侧，面阔三间，进深一间，硬山式屋顶。殿内正中供观音菩萨（自在观音）一尊，罗汉十六尊分列左右（其中两尊为木雕）。始建年代不详。大梁上有"大清康熙五十七年（一七一八年）四月十三日金妆彩塑，海般率众全修"题记，这是此殿最后一次修缮的时间；同时也表明，造像上现有的金妆彩绘的年代为清康熙年间，泥塑年代肯定早于此时，应为明代。

五龙殿

在云峰寺石佛殿东南，始建年代不详。殿内五龙居正中，龙母屈居一隅。相传龙母和五龙为绵山之主。一次龙母与云峰寺住持田志超在抱腹岩棋盘洞下棋，龙母有意以输棋方式把绵山让给田志超。五龙大怒，一起作法，要把抱腹岩推倒。志超法力无边，右手托住巨岩，使其安然无恙。殿前岩顶就留下田志超的佛掌印。依此传说，这座殿没有像通常那样把龙母像置于正中，而是安排在西山墙一侧。这是一座典型的民间神庙。殿内塑像庄重敦厚，颇为大气。衣装沥粉妆金，十分考究，应是明代作品。

白云庵

位于大罗宫西侧，为一石窟，始建年代不详。庵外悬崖上还有一个天然石洞，阴雨时有白云飘出，因称"白云洞"。庵内供释迦牟尼像。塑像周围石壁上嵌六块石板，每块一米见方，刻有《金刚经》及佛天诸神形象，线刻与浮雕相结合，精美异常。传为唐代遗物。庵内另有古碑两通：一为明天启二年（一六二二年）所立《重修白云洞碑》；另一通碑同名，时间为清顺治十三年（一六五六年）。

释迦殿

位于李姑岩，始建年代不详。殿内供奉毗卢遮那佛、释迦牟尼佛、卢舍那佛（三身佛），胁侍为文殊、普贤、观音、地藏菩萨等，皆古老而精美，具有宋元风格。

圣母殿

位于李姑岩皇姑殿旁，面阔三间，进深一间，为半岩洞式、半殿面式建筑。殿内彩塑十尊，端庄富丽，宁静肃穆，主尊绵山五龙圣母。该殿始建年代不详，殿前有清乾隆四十七年（一七八二年）所立《重修庙碑》一通。

空王活佛真身石佛殿

明正德十三年《重修空王佛殿碑记》中所述"包塑真容"的高僧田志超真身像，即供奉此殿中。真身像被罩在石雕的空王佛腹内，因称石佛殿。此石雕空王佛为明代重修此殿时所造，两旁胁侍为文殊和普贤像，也是明代作品。此殿面阔三间，进深一间，以山体岩石为台基，全部构件皆为石雕，彩画为和玺金龙彩绘。殿后有一石洞，名空王洞。此殿为绵山历史文化价值最高的古代宗教建筑。

正果寺

始建于唐代天宝年间，为云峰寺主持师显和思本真身而建。宋代元祐年间扩修，诗人皇甫韶游览此寺时，应僧人请求题"正果寺"名。后代有修葺。上世纪中期遭侵华日军烧毁。二〇〇一年修复。现正果寺包括两殿，仿元代悬山式砖木建筑。寺中十二尊历代僧人与道士的包骨真身像，经修复，供置其中。

另一类是寺庙损毁，造像或废弃其间，危机四伏，或完全暴露于风吹日晒中，且多已失群，辄被迁入在大罗宫遗址上重建的仿古建筑——大罗宫众妙堂中，做集中保护，并以博物馆的模式进行收藏与展示。这些造像来自山中各个寺观，佛、道、儒各教和民间崇拜的偶像皆有，大多已失群，也失去宗教功能。它们被放在大罗宫玻璃展柜中，基本上属于绵山历代雕塑艺术品的陈列。

现今保存在绵山各个寺观的神佛造像（包括包骨真身像）凡四百尊；藏在大罗宫众妙堂的历代神佛造像凡三百二十尊，总计七百二十尊。然而绵山历史悠久，遗存深厚。实际数量应该还多，肯定还有遗存有待发现。如今绵山未开发的区域大于已开发区域。崇山峻岭中尚有一些寺庙深藏其间，其中有无造像尚不可知。再有便是近日正在编选本图集时，绵山文化研究院的工作人员在云峰山上又发掘出五尊铁佛的佛首，被初步确定为元代的遗物。故而对绵山造像进一步考察、发掘与研究，仍有极大的学术空间。

三、艺术分析

绵山神佛造像有着极高的艺术价值，但从未进入过学界和专家的视野；无论对于文物界还是艺术史界，它都是一个盲点。这就是我们对它着手研究的初衷。

从现存的绵山造像遗存的整体看，在年代上，百分之九十是明代作品；在材质上，百分之九十是彩塑作品。故而，明代彩塑是这里（本文）主要的学术关注点。

中国人以泥塑造崇拜偶像，其源甚远，文献渺征。辽河牛河梁出土的泥塑女神头像和甘肃秦安大地湾出土的人头陶瓶，都出自遥远的原始社会，但那时把握形态和刻画神情的能力已相当高超。到了东汉，佛教初入中国，华夏本土的泥塑造型极为成熟，所以造像一露面就开始被中国化了。特别是经过唐宋这两个非常世俗化的时期，及至明代，神佛造像愈来愈迎合大众信奉的心理需求。一方面，希望神佛有超现实的法力，可以保佑和帮助自己，因而要求造像要有神圣感和神秘感；另一方面希望神佛亲切、仁慈，可以接近，肯予施予，使自己的祈望得以应验和实现——这种"现世报"的心理需求，便直接改变着神佛的形象。佛教及其偶像也就更加人间化和人情化。

这表现在造像上，便是拉近神与人之间的距离，将神"人"化。所以明代的神佛造像愈来愈像生活中的人。在艺术上写实的成分就愈来愈多。在身体的尺度上与凡人的尺度近乎一样，骨骼和肢体的构造以及喜怒哀乐的表情也与凡人相同。明代的彩塑艺人无疑都是写实主义的高手，连衣褶和绣样都是从现实中观察来的。

山西省彩塑的历史遗存居于全国之首，各代精品纷呈。据山西省文物普查统计，现存唐彩塑八十二尊，五代十一尊，宋辽金时期三百九十四尊，元代三百八十六尊，明清一万三千多尊——当然，这还不包括绵山的彩塑。从唐代南禅寺和佛光寺、宋代太原晋祠、辽代大同下华严寺、金代善化寺和元代晋祠的玉皇庙和洪洞广胜寺的神佛造像来看，彩塑的技艺在山西人手里不但达到过极高的水准，而且一直是传承有序，一贯而下，代不乏人，不断发展。

所谓雕塑，雕与塑是完全不同的。雕是硬材质，塑是软材质；雕用减法，将材料一点点"减"到心中的形象为止；塑用加法，将材料一点点"加"到想象中的样子则成。再说彩塑，不仅要塑，还要画，勾眉画眼绘衣裳。早在吴道子和杨惠之时期就要求"塑绘兼工"，所以彩塑艺人都是雕塑与绘画的全才，是极具艺术才华的人。

明代是中国雕塑史上的最后一个"王朝"。尽管明代造像已呈现程式化迹象，但由于山西塑手才高艺湛，富于创造，依然留下了像灵石资寿寺、平遥双林寺和新绛福寿寺以及绵山诸寺观这样大量的中华造像的瑰宝。

绵山造像体现着山西明代彩塑的诸多优秀的特征：

首先是造型能力高超。

现存的数百尊造像中，佛、道、儒和民间信仰全有。各种佛祖、神仙、天王、金刚、侍者、比丘、供养人以及民间偶像和地方神极其众多，造型各异，千姿百态，栩栩如生。在神佛造像中，佛是定型的，不能个性化，很难赋予想象。但那些由中国人再创造的菩萨与罗汉、神佛世界中各种没名没姓的侍者、来自现实中的供养人，则是彩塑艺人们恣意发挥想象和创造才能的广阔天地。

比如现藏大罗宫的几尊侍者像，其造型能力之高达到令人惊叹的地步。一尊侍者左臂挟簿册，右手执笔，凝神注目前方，似在待命，略带稚气和腼腆的脸上显出聪明的天性，叫人一望而知；另一尊侍者双手托着画轴，亦准备着听命而动，一副俯首帖耳、十分驯顺又乖巧的模样，这样的人似乎在生活中见过；再一尊侍者仿佛级别略高，一手背后，一手在"指手画脚"，板着脸儿，挺着胸脯，肚皮微凸，有些"发福"，显出矜持又傲慢、浅薄之态，惟妙惟肖；还有一尊侍者为坐像，身着朱袍，手执书卷，地位显然更高，儒雅平和，颇显出修养和文气。性格塑造是雕塑艺术中最难的创作层面。单这几尊侍者像便可让我们领略到明代晋中彩塑艺人非凡的造型水准了。

绵山造像的另一突出的特点，是具有真切的质感与量感。衣服的柔软，铠甲的坚硬，皮肉的光滑与弹性。不同部位皮肤和肌肉的质感也绝不相同。嘴巴的丰软，鼻翼的柔韧，耳朵的劲挺，手指的灵巧，全都似乎可以触到。连皮肤下又圆又硬的脑壳和衣服里各个部位的肢体，也能清晰地感觉到。雕塑的量感也很重要，又是难于体现的。若把本集中的那些金刚力士和众仙女比一比，其量感就鲜明地体现出来。前者骨重肌沉，力大无穷；后者骨小身轻，飘飘欲仙。量感和质感都要服从雕塑对象的要求。从中可以看到绵山雕塑艺术所达到的高度。

再一个特点，是有很强的气质感。

中国古典雕塑与西方古典雕塑的最大不同，是前者重于"神"的表达，后者重于"形"的体现。在中国人看来，肉眼看到的东西无需再现。特别是汉代以来，雕塑的主要对象是想象世界中的神佛而非现实人物，对神佛的"神"的表达则是中国雕塑的终极目标。虽然由于宗教的世俗化，写实手法被普遍应用，但中国雕塑始终没有放弃对"神"的表达。"神"，既指不同神佛各不相同的神采和神气，更是神佛特有的气质，也就是在其共有的博大威严和至高无上的神佛气质中表现出诸神彼此不同的个性气质。气质是最难表达的，气质是精神而非物质的，是内在而非外在的，它来自艺人的内心体验而非纯技术。比如绵山古庙白云庵中的观音像，手法简朴，很少雕饰，但具有一种深切的悲天悯人的气质，质朴可近的面孔中含着慈悲，似在倾听善男信女的祈祷，给人亲切可信的感受。另一尊原址永宁庵的仙女，在行走中扭转身来，好似听到世间疾苦，闭目凝神，倾心关注，双手的动作表达她此刻的心情。身形轻巧又不失神仙的庄重；又动又静的姿态，宛如天上一朵彩色的云。如此具有神灵气质的造像，在清代雕塑中就很少能看到了。

在上述的绵山造像艺术特征的背景下，还有一些精品特别值得注意。

四、重点造像

绵山神佛造像的精品众多。除去上边列举之若干，还有一些造像杰作堪称国宝，在此推举出来，并作简略分析：

明王像
在绵山现存寺庙中，抱腹岩下云峰寺明王殿是保存最完整和完好、造像水准最高的一座佛殿。这不是一尊像，而是整整一座殿中合为一体的群像。绵山的寺庙体量都不大（至少现存的寺庙体量都较小）。由于它深嵌在抱腹岩的凹处，巨岩如盖，挡风遮雨，实乃天佑。在不过三十平方米的狭长空间里，神奇展现着作为护佛与护僧的十大明王法力无边、博大恢弘的神佛天地，真是匪夷所思。上下三层构造，分别摹现出天宫、地狱、人间三界。上方为悬塑的东方琉璃世界、释迦牟尼的婆娑世界和西方极乐世界，其中天宫耸立，楼桥隐现，祥云缭绕，花木缤纷，六十八尊天界诸神立在云端，展现出天国无穷的美妙与神奇。

下方是十大明王，各施其法，各发其威。个个都是硕大身躯，袒胸赤身，坐骑猛兽，足踏恶鬼，三面六臂，立目龇牙，赤发如焰，怒气万丈。整座殿堂，好似充满明王们震耳欲聋的喝吼。阳刚之气，溢满殿堂。

这样的明王殿，应是三晋乃至中国之仅存。水准之高，尚无可比肩者。可惜至今不为学界和世人所知。

供养菩萨
此像原在废弃的古庙竹林寺中，已然失群。按寺庙立像的规范，这尊菩萨应立于佛坛一角，作为主佛的陪衬。此像体量虽小仅五十厘米，但境界清明高远。菩萨的形态俊美、轻盈端庄，眉目间透出圣洁和虔敬的心境，微笑里蕴含着天性的亲善。明代造像的服装较之宋代，变得厚重。但这菩萨的身躯在厚厚的衣装中却颇显清灵与峻拔。如此优美的菩萨当属罕见。

供养人

这尊取材于现实生活中的供养人像，整体上采用工笔与写意对比的手法。躯体十分简略，一带而过，双手与面部却着意地刻画。面部的线条很硬，棱角分明，双腮深陷，皱纹如沟，显示了人物命运多舛。一双困惑的眼和紧紧合十的双手相配合，表达出心中的苦楚与犹然执着的企求。中国古代雕塑反映现实的作品不多，此像是深刻描写人物命运与心灵的力作。

罗汉四尊

这几尊罗汉的年代久远，或元或明，或坐或立，或静默或思虑，或探询或悲悯，所有神情皆出自内心，表现得十分自然，仿佛天造而非人造。中国的雕塑不强调人体解剖学构造的精确，而是追求神态的真切和自然。神态的表达是终极目的。只要神情真实自然，人的体态就一定舒服与合理。为此，艺人们凭仗着的不是解剖学的原理，而是一种对生命和艺术的悟性。这几尊罗汉都是古代彩塑的杰作。

宋代的女相观音与男相观音

这两尊观音都是宋代作品，也是绵山造像中年代最早的两件遗存。面容清雅，体态适度，衣薄带轻，流转自如。女相观音身体、面颊与手足富于丰腴之美，甚至还遗留着些许唐风，然其清脱之气却是地道的宋代的艺术精神。男相的观音非常少见，此像为"自在"坐姿，目光中露出一种冷静与镇定（只是双手是后代修补上去的，与原像不统一）。这尊像可视为宋代晚期的佳作。女相菩萨堪称完美，男相菩萨值得十分珍视。

高僧师显像

绵山现存的十六尊包骨真身像是一种另类的彩塑，它是用泥把圆寂并风干的高僧或道人的躯体包裹起来，再依其形塑其形，依其神塑其神。更重要的是将被包塑者生前的神态逼真地外化在造像上，以永久保存。这种特殊的彩塑技艺是一种非物质文化遗产。如今宗教的辟谷与坐化已不再有，"包塑真容"的塑艺随之失传。包骨真身像便是十分珍贵的宗教文化遗存了。包骨真身像与一般彩绘造像不同，一般造像是实心的泥胎，比较坚实。包骨真身像中间是风干的躯体（通常躯体略小于常人），又身着僧衣或道袍，泥土很难贴紧，日久便会松垮，必须加固和修补。在绵山开发时，大部分包骨真身像都已松解，破损严重，躯体外露。经过大面积重修的包骨真身像，很难具有历史感。然而，所幸的还有数尊，保持较多原貌。比如这尊宋代高僧师显像，连人物的性格、神态、年龄，乃至呼吸和声音都好像保持在造像中。指甲、脚趾和筋骨却清晰地露在外边。这应是我国现存包骨真身像中之奇迹与上品。

五、与晋中各寺类似的几尊（组）造像

在考察与研究中，一个特别值得注意的发现是，绵山的几尊（组）造像与晋中一些国宝级的名寺如双林寺、晋祠、资寿寺和晋城的玉皇庙的造像极其相似，有的甚至可以认作为同一作者。比如：

（一）现藏绵山大罗宫的一尊韦驮像，与晋中平遥双林寺的名塑"韦驮天"，无论身体造型、面部刻画、神气表情、头盔铠甲，以及塑造和施彩的手法，都完全相同。可视为出自同一位艺人之手。

（二）现云峰寺罗汉殿的十六尊罗汉与晋中资寿寺的罗汉像相似，这包括头部（头型与开脸及其勾眉画眼的笔法）、手部（手指偏长）、袈裟（田相式百衲衣及图案、纹样及沥粉勾金的画法）等的处理。然而，若比较这两地罗汉像的神态塑造及彩绘精美的程度，绵山这组罗汉像应略胜一筹。

（三）绵山乃祈雨之圣地，相传龙母和五龙原是绵山主人，故山上山下皆有龙王殿。现存的龙王殿就有多处，分别在正果寺、李姑岩和云峰寺。大罗宫内还藏有失群的龙母和龙王像。这些龙王像中有两尊清灵洒脱，神采飞动，风格别具。如果将这两尊龙王像与晋城玉皇庙二十八宿殿的神像相比较，就会发现它们惊人的相似。它们都是头顶奢华精美的发冠，修长而舒展的身躯，畅如流水般飘动着的宽袍大袖，细小柔和而富于神情的眸子，连衣褶折叠的手法和堆花与沥粉的技艺，都很相似。是否同一作者，还需进一步寻找依据。

重要的是，山西晋城玉皇庙的二十八宿神像是我国最珍贵的雕塑组群之一，元代雕塑大师刘銮的代表作。

刘銮原名刘元，宋嘉熙四年（一二四〇年）生于天津宝坻。少年做道士，后投拜山东青州杞姓艺人学习雕塑彩画，聪颖过人，渐而成名。由于技艺过人，被各地寺庙邀请塑造神像。元初忽必烈请尼泊尔塑像大师阿尔尼格监修元大都护国寺时，刘銮担任助手，因学得源自古希腊的印度塑像技艺，彩塑水准达到顶峰，所谓"庄严华妙，天下无与比"，故而被封为昭文阁大学士、正奉大夫等。我国雕塑艺人不入青史，唯刘銮是个例外。元仁宗曾下旨，除皇差外，不准刘銮为外间塑像，故其作品极少，遗存至今的只有晋城玉皇庙的二十八宿殿了。为此，进一步研究绵山这两尊龙王像极为重要。

自唐以降，及至明代，绵山宗教一直十分兴盛，寺庙不断修建和扩增。此间，三晋雕塑亦处在繁荣期，名师高手往来各地，立像画壁，展示才华。绵山地处晋中，就近请来高手塑像，当属必然，就像当今的名家名作，也是随处可见。当然，也有一种可能，就是当某一种风格喜人，且手法高妙，彼此便会学习或模仿，作品也会十分相近。比方，李姑岩圣母殿内的圣母就与太原晋祠的圣母酷似；还有云峰寺释迦殿内一尊侍女，无论眉眼、面相、发髻、形体、衣裙（包括腰带的系结之法和饰花），以及所着颜色都与晋祠中著名的宋代女像极其相像。这些缤纷不已的发现，使我看到绵山彩塑的悠久与深厚。

综上所述，足见绵山造像价值的卓越非凡，同时又令人感慨万端。历史上的绵山，曾经创造了无穷的人文财富，留下深厚的积淀，同时也遭遇无数劫难，天灾加之人祸，使其损毁、消泯与飘零。然而，纵然如此，遗存处处，犹然惊人。历史留下的残羹剩饭竟然也都是山珍海味。

此次在绵山文化研究院的大力协助下，对绵山神佛造像的整理与研究，尚属初步。由于本人学力尚浅，文中错误难免，乞望勘缪指正。而这笔遗产所具有的重要的历史、宗教、文化、艺术的价值，无可估量，却有待大家进一步的开掘。这里所做的，只是想将这一巨大而宝贵的文化财富推到世人和学界的面前，引起重视、关爱与共同的呵护。

己丑春节醒夜轩 己丑大雪修订

与妻子在"甲子津门画展"上合影留念。（二〇〇二年）

俄罗斯的现代主义

俄罗斯绘画史有两个时期的绘画令我尤为关注，一是巡回画派，一是现代主义。文学史与其对应的是黄金时期与白银时代。与文学上"黄金时期"同时的是绘画上的巡回画派，与文学上"白银时代"同时的是绘画上的先锋艺术与现代主义。

巡回画派与现代主义都是俄罗斯自己的艺术潮流与文化现象。巡回画派纯粹是俄罗斯人自己的。而俄罗斯的现代主虽然与欧洲相关，但它也是自己的，不像我们近现代绘画史上的现代主义是被西方影响乃至亦步亦趋。

俄罗斯的巡回画派与现代主义都有许多经典的艺术家与作品。它们是我此次访俄关注的重点之一。巡回画派的作品主要收藏在圣彼得堡的俄罗斯博物馆和莫斯科的特列恰科夫画廊。现代主义的作品多在莫斯科中央美术之家。

中央美术之家有两个内容，一是当代画家的展览，一是俄罗斯二十世纪美术陈列，据说这些二十世纪作品也都是特列恰科夫的藏品。

中央美术之家的建筑真是单调又粗糙，几乎就是一个超巨大的水泥盒子，傻大笨粗，然而在美术馆里，只要画好，你把目光盯在画上，什么样的建筑全不重要。这个"俄罗斯二十世纪美术"包括沙皇后期、两次世界大战、两次革命（二月革命和十月革命）、前苏联等各个时期人所共知的重要作品，要了解俄罗斯的绘画与雕塑就必需来看。

比如三位俄罗斯最重要的现代主义画家：马列维奇、康定斯基与夏加尔。他们都是研究西方现代主义不能绕过的历史性与经典性的大师。

马列维奇的《黑方块》就挂在这里。这幅无物象的绘画称得上俄罗斯抽象主义的宣言；其意义等同于莫奈的《日出的印象》，是印象主义的宣言。《黑方块》否定了造型艺术的本质性元素：物象、情节，以及从属的色彩。马列维奇也是"至上主义"的理论奠基人，在中央美术之家陈列的他的众多画作，画面上那些没有顶部与底部、失去地心引力而飘浮在空间里的各种几何形体，是他对至上主义和抽象艺术个人的诠释。

比起理性化的马列维奇，我更偏爱康定斯基。康定斯基强调感情与感受。他曾谈到他最初发现"抽象艺术"的一个细节：在一个黄昏，他看到一个由许多异常美丽的斑点与色块构成的画面——其实，这只是他的一幅普通的作品歪放在那里。由于画面颠倒，作品中的物象已经没有意义，超越物象的神奇的美是抽象的。

他在自己的《回忆录》里一开始就说："最初给我以强烈印象的色彩是明快的翠绿、黑、白、酱红和土黄。这些记忆要追溯到我三岁的生活，那时我在各种各样的对象上看到了这些色彩，但如今在我的脑海里，这些物象已经不像这些色彩这样清晰了。"看得出，他在否定物象和具象的意义。

他认为艺术品的诞生应像宇宙的诞生。他在《论艺术的精神》里说："每个时代必然产生出它特有的艺术，而且是无法重复的。"他是自觉站在艺术史的高度上，担负着建立时代艺术的使命，因而他对抽象艺术进行大胆尝试，使他的抽象主义有点"创世"的意味。他比马列维奇更直觉，更感觉，更原发，色彩更有感染力，比如《作品37＃》，现在看来还像是一幅带着很强冲击力的新作。

然而，他和马列维奇的意义是都写了许多极为重要的理论著作。他们的理论奠定了抽象主义，也使他们领军于西方的现代主义。如果他们只是推出一些异常独特的作品，对自己没有理性的自觉，对时代就不会产生如此巨大的思想影响力。

二十世纪最初几年，俄罗斯先锋艺术发力，作为先锋艺术的鼓动者，诗人马雅可夫斯基，过激地叫着要把普希金和托尔斯泰从现代快船上扔下去，其实历史不会过时，艺术也不存在超越，任何艺术思潮还得有天才支撑；如果没有康定斯基、马列维奇、夏加尔等天才的大师巨匠挟裹着许多惊世骇俗的作品站出来，什么潮流也站不住，有了他们谁也否定不了。为此，在索契冬奥会上，俄罗斯人向世界炫耀的，既有普希金、托尔斯泰、陀思妥耶夫斯基，也有夏加尔、康定斯基和马列维奇的至上主义。

在中央美术之家里还让我注意到，前苏联在艺术上所倡导的是社会主义现实主义，强调艺术的社会功能，做政治的工具；现代主义这种反传统和主张心灵体验的艺术显然不合时宜，但令人感兴趣的是，在强大的政治压力下现代主义并未完全绝迹，在数十年苏维埃艺术中依旧时隐时现，比如展览馆中的大型红色装置艺术《工会俱乐部》，在改革开放前的中国艺术中是绝不可能出现的。这表明俄罗斯的现代主义不是外来的，它的语言公众听得懂，它有自己的文化土壤，有土壤的生命就不会灭绝。因此在苏联解体后的俄罗斯，现代主义自然而然又重返艺术的台前。这一切在中央美术之家都可以看得清清楚楚。

二〇一四年十月三十一日

对一个文化空间的向往
——关于研究院建筑的理念

感谢诸位建筑师参与我们研究院的建设工作。你们的参与，将不仅实现我们的愿望，还要实现我们的理想。

我们的理想就是对这座建筑的理念。

研究院作为一种人文象征，应散发着文化气息，整座建筑要有深在的文化内涵。但我不主张现成地搬用中外建筑史上那些已定型的样式。

这座建筑首先应是创造性的。创造的本质是独创。然而文化性质的创造应有底蕴。要在深厚的历史文明上进行再创造。

我把人类建筑文化形态，分为四大块：西方现代、西方古代、中国现代、中国古代。

我以为中国现代建筑还没有形成为一种语言体系。西方古代建筑的样式从古希腊到新古典主义，都早已经被用滥，同时距现代中国人又太遥远。所以，我主张去掉中国现代与西方古代这两大块。

那么，我们取之不尽用之不竭的文化源泉，无疑应是中国古代文明。同时我注意到，西方现代建筑语言已形成鲜明的语境，并具有极大的开放性和创造空间，所以我希望将西方现代与中国古代相融合。通过这种古代与现代、东方与西方的文化交汇与精神沟通，来体现一种包容性与人类感。

进一步说，西方现代是指现代感、现代精神和现代审美。中国古代是指上及远古，下至汉唐，以及土得掉渣的民间文化。这一范畴的中国文化，博大浑厚，雄放简朴，有文化的初始感。在体现这种文化的初始感时，我希望多考虑天然的材料。比如石头。

我之所以挑选西方现代与东方古代这两种文化，是因为这两种文化都有一种精神，充满活力，富于潜力和张力，都没有被用滥，都不是程式化的和模式化的。它们容易相互融合。

　　而这两种文化的融合应是一种深层次和高层次的创造。

　　还要强调，即使对这两种文化，也不去模仿其中某些已经为人们熟悉的文化符号。但可以将古建筑原构件（主要是中国），作为历史遗迹镶嵌进去，以深化历史人文的底蕴。当历史在我们的建筑中出现时，不是被模仿的，而是它真实的本身。

　　这一建筑形态还应具有一种情绪感，应是一种宁静和期待的感觉。不能是冷冰冰的混凝土的容器。它的色调最好单纯一些，不要超过两个色调。内外色调应谐调一致。

　　这座建筑另一重要特征，是与大自然融为一体，成为大自然的一部分，体现出"天人合一"的观念和理想。建筑可以拥抱自然，大自然的事物也可以到建筑中散步，大自然与建筑应相互延伸，甚至可以抹掉它们之间的界限。大自然的事物应作为建筑的一部分来设计和营造，以此体现现代人对生态环境的珍惜与情怀。

　　如果我们研究院的人员与学生，时时处处能感觉他们既在艺术品中间，也在大自然中间进行工作。他们就是世上最幸福的人了。

　　我的基本观念为十二个字：

　　中西交汇，古今融通，天人合一。

二〇〇一年三月

建筑是一种想象

　　面对着建筑师，我心中常常充溢着钦慕之情。因为，建筑是人类一种伟大而浪漫的想象。而且它能够把想象变成现实，一个个放在地球上。建筑是地球上最大的艺术品，其他还有什么艺术可以与之相比？

　　漫游各地时，我喜欢欣赏千姿百态的建筑。我不仅仅欣赏它们外观各异的形态、颜色、质感、个性、气质与韵味，及其与环境和谐的交流——我知道这一切都是建筑师们想象出来的；我更欣赏他们对内部空间充满想象的发挥。

　　我羡慕建筑师可以对空间随心所欲的想象与创造。世界上只有建筑与音乐是那种使你身在其中和身临其境的艺术。人用木头和石块围起一个空间，把自己放在里边，便是建筑的起源。最初人对这个空间的要求是安全。渐渐才有了温馨的、舒畅的、宁静的、幽深的、封闭和放达的等心理上的要求。随后，人们对空间的感受愈来愈敏感和苛刻。从心理空间到精神空间、审美空间和文化空间。空间的创造随之无穷无尽。当建筑师把自己的作品视做艺术时，每一个空间给人的感受都必须是全新的。因为艺术鄙视似曾相识。

　　所有建筑首先必须是功能性的。但建筑空间给人的心灵感受、建筑美，以及建筑文化却是超功能的。在我看来，建筑的想象更表现在这些超功能的方面。功能性是物质性，我关注的则是精神层面。因为，当一座建筑具有了一种个性精神时，它便有了生命。于是，它和任何其他伟大的艺术作品一样——无论作家笔下的成功的人物，还是画家笔下的大自然，都是富于生命的。

　　它有生命情感，有尊严，有性格，接下来就一定有令人关切的命运与年龄。

说到这儿，我想表达一个意思，就是建筑师的想象，最重要的是对一个建筑生命的想象。反过来说，没有生命想象的建筑一定不会受到尊重，并被人们很快的遗忘。

二〇〇二年八月　天津

二〇〇二年四月在山东新闻大厦举办"冯骥才甲子艺术研讨会",并举办画展。此为研讨会现场。

名画亲历记

一、新马可·波罗

三月十九日早晨，一种异样的紧张又兴奋的气氛充满学院高耸的院墙内外。十点钟，这种气氛渐渐加剧。一辆巨大的银光闪闪的集装箱车由警车引路驶入我院。这辆发自上海的车子，为了防止意外，启程前就把车的牌照用白色塑料布严严实实遮挡起来，这样就给车内的"乘客"——四十九件文艺复兴时期的原作增加一种神秘又神圣的感觉。当海关人员验过车门上的铅封，车门打开，几件原木包装的大木箱赫然入目。同时一股幽深又浓郁的气息从车厢深处迎面扑来，就像数年间我在一个阴雨的清晨，独自站在佛罗伦萨一条古街的街口所感受的那样。

几次到意大利，最重要的事是看画。

每次都要排几小时的队，去乌菲齐和梵蒂冈两座驰名于世的博物馆去寻找曾经从画集中看了数百遍的那些神明般的杰作。还有一次饿着肚皮赶在关门之前，跑到米兰的圣玛丽亚德尔格契修道院去看《最后的晚餐》。另一次在西斯廷教堂仰头看米开朗基罗的穹顶画，举头太久，勾起了颈椎病。意大利人创造了人类瑰宝，他们深知这些宝贝的价值，自古以来一直好端端放在原处，碰也不碰，等着世界各地的人们千里迢迢去"朝圣"。谁能想到他们还会搬到中国——天津——天大！

今年春日，当闻名世界的收藏世家贝利尼家族第十七代传人路易吉·贝利尼来到天津大学拜访我时，他在"大树画馆"看过我的画后说："我想请你到佛罗伦萨办画展。"我却说:"我更有兴趣的是你把你的藏品搬来。"

他对我的话极有兴趣。他说:"我正想做新的马可·波罗。我想把家藏的珍品搬到世界各地,搬到人们的眼前。我最希望搬到中国来。"我笑道:"那就搬到我这儿来吧。中国的大学生看了,就是中国的明天看了。"然后,我陪他参观学院的北洋美术馆。我自信这个美术馆会把他"说服"。果然,他一走进静谧又幽雅的美术馆,当即说:"我喜欢这个美术馆的气氛,还有黑和灰的颜色。我把这些画拿来——"说着,他递给我一本画集。这本精美又高贵的画集是在意大利印刷的。

我打开画集,怔了。达·芬奇、安吉利科、乌切诺、拉斐尔、米开朗基罗、科西莫、提香、丢勒……在人类绘画史上,每一个名字念出声音都是一个雷声。难道我们城市的人,真正"足不出户"就能看到这些罕世珍品?

是的。现在这些人类巨型的原作已经进入我的学院,这是在中国大学的首次。晚间一位美国的大学教授打来越洋电话。我告诉他达·芬奇来到我的学院,他很惊讶。他说这种事发生在美国的大学也是不可思议的。

二、NO.41 画箱

我们在北洋美术馆 A 馆中间放着一张巨大的桌子。交接作品的方式是要经过严格的检验。每幅画从箱子里取出来都要放在桌上,根据贝利尼博物馆在上海代理公司提供的文字档案,核对画面原有状况。每一个细小的历史性的残损与龟裂也不能放过。我手执高倍的放大镜,俯身细察画面上所有微小的细节。

我是幸运的。有多少人能够如此近距离地观看这些人类超级的艺术杰作?拉斐尔的色彩、丢勒的线条都被我手中的放大镜神奇地放大——更清晰也更具冲击力。从中我还发现了他们的色彩与笔触的秘密。

比如乌切诺那两个画在箱板上的古罗马英雄——奥古斯都与马西莫。人物的轮廓是用黑色的线条勾勒的,但线条内的色彩与线条清晰地脱离开,有如一条利刃刻画的又细又深的沟。这表明在那个由胶画向油画过渡的年代,油画颜料还处于试验阶段。勾勒轮廓所用的颜料与轮廓内使用的颜料是不同的材料，年深日久之后，两种颜色截然分开了。原来文艺复兴时期的大师们都是用如此不成熟的材料来完成那些举世闻名的杰作的！是呵，达·芬奇创作《最后的晚餐》时，不就是整幅画没完成的时候颜色便开始剥落了？

我验过几幅画之后，便说："请打开第四十一号画箱吧！"

上海的朋友们也笑了。他们知道我急不可待地要见到达·芬奇。达·芬奇的《骑士》就在四十一号画箱中。

这画箱只有八十厘米见方。打开锁和箱盖后，一个柠檬色鲜黄硬纸夹被夹在几块银色的海绵块中间。所有工作人员都戴雪白手套，但不能七手八脚，动手操作的是我一个人。我极其小心地打开黄色纸夹，里边的画包着一层白棉纸。贝利尼反对任何现代工业材料（如塑料和尼龙）直接接触画面。待把这层白棉纸打开，我感觉周围人的目光全亮了。在众人交织一起的雪亮的目光中，达·芬奇的原作《骑士》如同一个生命出现在眼前。

这个钢笔描绘的骑士画在一张较厚的硬纸片上，大约八开大小，已经很旧。当时人们一定不很重视它。所以纸片的四边被裁过，裁线有些歪斜，画面不是非常标准的四方形。等到我后来把它反过来装到镜框里时，才发现这张硬纸是一个文件夹的封面，左侧有几条折线，明显是为了方便掀文件夹压出来的。背面还残留着一些红色和黑色的衬纸。

这都是后来发现的。在刚刚见到它的一瞬，我好似感受到达·芬奇作画时留在纸上的呼吸。这个持枪归来的骑士一脸懊丧地向我缓缓走来。骑士皮衣上厚厚的毛与坐骑浑身的鬃毛全都无力地松垂着。然而，隔过这蓬松的皮毛却能感受到骑士与战马有力的躯体。

在放大镜里，怎么也找不到钢笔画通常可见的笔尖在纸上的划痕。这是件印刷品吗？当然不是。这幅小小的素描已经历时六个世纪，那些笔尖的划痕早已被时光磨平。但作画时用笔的流畅和韵律依然如故。达·芬奇喜欢用这种发红的棕色的钢笔水作画，这些钢笔画多半是他油画的素描稿。他曾经有过这样一幅油画吗？可能有，但没有传世。然而，我们却能从这钢笔画上感受他油画特有的"薄雾法"。这种薄雾法使他的画有一种朦朦胧胧的空气感。

画中的一切在这种感觉中栩栩如生。

我还有一种很兴奋的感觉。我怎么也想不到，达·芬奇的画此刻会在我的手中轻如蝴蝶般地翻来翻去。

三、挂画

在这些名画未入美术馆之前，我们早做好准备。温度二十摄氏度，湿度百分之四十，适度的照明。连画前的隔栏都是按照文艺复兴风格特制的，这风格有一种古朴又沉静的美。馆内颜色也依照贝利尼博物馆指定的黑、灰和酒红三种颜色来布置的。但没料到最吃力的事情竟是挂画。

这些时隔数百年的绘画，画面大多出现裂纹，有如瓷器的开片；有的甚至剥落。一些布面画，比如卡乔里的《圣·玛尔蒂蕾》，织物早已失去弹性，经纬稀疏，十分松脆，仿佛一触即破。不少镜框的榫接部分都已松动。乌切诺那两幅木板油画从背面看，虫叮蚊咬，历尽沧桑，充溢着历史的美感，同时也近于朽败。安装在上边的挂件还牢固吗？而这些画的挂件是不同时代、不同人装上去的，全不一样。有的是一个粗大的铁圈或铁钩，有的只是一个小小生锈的铜环，能挂得住这些十分沉重的古画吗？有的画得四个人才能抬起来。北洋美术馆的挂镜线的高矮是固定的，挂这些画时，高度不一定合适。最后我们确定，画框上原有的挂钩只在上端起牵制作用，每幅画下边都要增加铁件，托底与承重。由于画件的大小不一，添加的金属件又不能被人看见，以免破坏观赏效果。所以每幅画承重的金属件都要量身定制，再三核对，画出图来，按图打造。为此，我已经有些神经质了。交给别人去挂不放心，每幅画都要亲自动手。谁想这四十九幅整整挂了两天半。每天十几个小时。挂好后夜里忽然睡不着，总觉得画儿要掉下来。

四、价格与价值

关于学生票价定为两元一事，受到许多朋友的责怪。有人说，某某明星一场说说笑笑的演出票价六百元，难到达·芬奇还不如这些媒体爆炒出来的明星？

我问他：李白的《静夜思》卖多少钱？一首诗在书上最多占半页纸，难道李白的诗只值两角钱吗？

精神的事物无法计价。你拥有大把的钱，却不见得拥有丰富的精神与高尚的美。

我的朋友反驳我，那么那些歌星的出场费、畅销画家的画价呢？名不副实吗？

我说，在市场时代，价格与价值不一定是同步的。

市场的原则是营利。市场的手段是促销。由于精神和文化的事物很难计价。这就给市场促销留下极大的余地。市场一定动用各种手段夸大促销对象的价值，以提高价格。这些手段包括给对象冠以"明星、巨星、天王、绝版、经典、时尚"等，都是我们在媒体上最常见的字眼。这些耀眼的字眼后边有一只无形的敛钱的手。然而，市场上的明星如同擂台上的英雄都是转瞬即逝。等这些巨星们过时或过气，也就是被时间和历史缩水后，人们会发现他们真正之所值。

我对这位朋友说，媒体曾报道一位画家的画被人以千万元买走。这位画家不过四十余岁。你能相信他的一幅画值一座工厂吗？

这位朋友还是抓住问题不放。他继续问我：

为此，你反其道而行之，故意给这些"永放光芒"的达·芬奇们定了两元钱的学生票价？

我说，是的，是想表明我不按照市场的规矩定价。我们做的是公益活动。公益性的文化活动按照公益原则，经营性的文化活动遵照市场规律。这之间不能混淆。如果借机牟利，会损害公益精神。公益精神是神圣的、纯洁的。

为此，这个展览，每天参观者达五千人以上。周末超过七千人。不单本市二十八所大学的学生踊跃来看画展，还有大批来自全国各地，如北京、广东、湖南、河北、山西、山东、甘肃等地的学生。学生们天天从夜间就开始排队等候购票。由于展厅控制温度，必须控制人数，分批入场，所以进入展厅要耐心等待。学生们必须站四五个小时，甚至更长时间，才能进入展厅。

两元钱的票，只是印刷的成本。这使得学生与达·芬奇没有任何障碍。只要来到我们学院，就能亲眼见到这些人类最伟大的艺术家的原作。

有记者问我，展览成功的秘诀是什么。

我说除去大师们的魅力之外，就是——公益精神。

纯正的公益行动可以呼唤出一种理想的社会文化的景象。

五、湿壁画

展览规定在下午四点闭馆，五点静馆。实际上每天静馆都要到六点以后。然后关门上锁后交由武警战士守卫，并且整夜都通过闭路系统严密监视馆内的一切情况。

在意大利的路易吉·贝利尼听说他的藏品由二十二名武警轮班看守，深受感动。他说他的藏品只有在中国受到如此高规格的待遇。我通过他的代表告诉他，武警战士说，他们看守的不是黄金万两，而是人类的文化遗产。

每天静馆时，我都要和美术馆的工作人员在馆内巡视一周。将观众挤斜的栏杆摆正和调齐。检查每一幅画有没有出现意外。我一直不是用欣赏者，而是像医生探视那样观察展品。不只看画面，还要看画框；绝非欣赏色彩与画技，只是查看是否出现裂痕或损伤。

直到最后三四天，我感到自己还没有好好看这些画，再不看，这些画就走了。这样才在静了馆巡视一遍之后，跑到几幅特别想看的画前盯住认真看一看。首先是乔托学校绘制的《圣人和坐着的圣母玛利亚》。

这是一幅壁画。原先画在拉威那城一堵墙壁上，后来被揭下来牢牢地贴在一块木板上。在此次展品中它不是一件特别出色之作，但我对它分外关注，因为它采用的画法，是文艺复兴时期流行的一种新的壁画的画法——湿壁法。就是在墙壁上作画时，不必等着墙皮完全干燥后再画，而是在墙灰湿漉漉尚未全干的时候就开始作画了。这样，画上去的色彩容易渗入潮湿的墙皮里，色彩与墙皮混在一起，不易脱落。据说敦煌莫高窟三号窟由元代画工史小玉

二〇〇二年九月在家乡办画展，总是多一份看不见却能深深感受到的乡情。自己的心情也分外的好。

画的那幅精美绝伦的《千手千眼观音》，就采用意大利传来的湿壁法。我曾经写过一篇文章论及这幅壁画，叫做《历史莫忘史小玉》。

元代末期正是欧洲文艺复兴崛起的时代（十四世纪）。这种湿壁法能够千里迢迢由意大利传入中国，肯定是那条神奇的丝绸之路的功劳。民间画法是口传心授的，难道曾经有一位蓝眼睛的意大利画师穿越天山和塔格拉玛沙漠来到过敦煌？正是这种湿壁法，使史小玉那种刚勒又流畅的铁线有力地切入墙壁，直到今天依然可见当年非凡的笔力。而且历经数百年风沙的消磨，依然没有出现墙皮起甲和剥落。

此时，我注意到在乔托学校绘制的这幅湿壁画上，所有线条和色彩好像印刷品一样，油墨的色彩牢牢地印在纸张里。湿壁画法的发明包含多少智慧呵。

当时湿壁法的流行，与那时候壁画使用的颜料不是油彩而是传统的蛋彩有关。只有这种水质的蛋彩才能融入潮湿的墙壁。等到后来油彩被普遍应用，水与油不能融合，这种湿壁法便不再使用了。

然而，中国的壁画一直使用水调和的颜料，敦煌莫高窟三号窟所采用的湿壁画法为什么没有流传开来？在整个敦煌石窟，也只有这一幅画使用这种外来的湿壁法。中原地区没有任何地方的壁画采用这种画法。这表明意大利人的湿壁法只传到敦煌，只在莫高窟三号窟中昙花一现。为什么？

我想，主要因为莫高窟三窟的壁画已经是敦煌石窟的尾声了。元代以后，丝绸之路走向衰落。中外交流的重任"孔雀东南飞"，转移到了东南沿海地区。敦煌随之没落，没人再在莫高窟绘制壁画，湿壁法无从延续；同时，西部与中原的交流也中断了，刚刚进入中国的意大利人的湿壁画法没有步入中原，便被永远搁置在那寂寥而空旷的黄沙大漠之中。

六、安吉利科的圣母

对于意大利文艺复兴的大师们笔下的圣母，我最关切的是安吉利科。甚至比拉斐尔的圣母更加注目。

文艺复兴的绘画是由"神"转为"人"的时代。在文艺复兴之前教皇统治的"黑暗一千年"里，圣母只是一个僵死的神的符号。冷面，呆板，拘束，正襟危坐，高高在上。到了文艺复兴，安吉利科最早地把女性生命融入了圣母的神像中。在他那些名作，如《领圣母报》等作品中，神灵已经具有现世中人的气息。当然这种人性化的圣母又具有一种理想化的美。因之，这次来我院展出的《圣母玛利亚怀抱婴儿坐在宝座上》对我有着极大的诱惑。我在任何画册上都未见到过安吉利科这件作品。

开箱验画那天，当我从金属箱中将画取出，打开外边一层层厚厚的包装材料，出现在眼前的不是画，而是一个古老的核桃木的木匣。木匣整体细长，下端平直，上端好像荷花瓣的尖儿，表面是对开的两扇门，可以由中间开启，中间镶着一个小小而精致的铜钩。

待我小心将木匣从中打开，好像一朵花慢慢开放。原是一个三叶形祭坛。这一瞬，一种静谧、高雅柔和的气息令我呆住。披着长长的银灰色风衣的圣母，沉默地迎面坐着。她细嫩的手轻轻拢抱着圣子。目光深思与慈爱，好像在专注地倾听人们对她由衷地表述。我马上感觉到，我与这个带着母性的圣母没有任何神与人那样可望而不可即的距离了。

这正是我想看到的安吉利科。

使我关注安吉利科的一个深层的原因，是中国绘画史也有同样一个时期，主要表现在观世音菩萨的身上。最早传入中国，也就是唐代以前菩萨的形象多为男性的，嘴唇上大多画着石绿色的胡子。随着佛教深度地传入，并被渐渐本土化的过程中，菩萨的形象开始女性化。这与普济众生的大乘佛教受到民间的广泛认同有关。人们心中的神佛爱怜众生，慈悲为怀。自然与女性和母性仁爱与善良的本性联系一起。在唐代的三百年，观世音已经完全演变成贤良的女性，就像到了拉斐尔笔下的圣母，全然是生活中有血有肉、充满爱意的女性了。

安吉利科画这幅画时，油画颜料尚未普及。这种在木板上的蛋彩画都画得很薄，看不见笔触。此后，也就是开始使用油画颜料的那一时期的油画，也一律画得十分薄。但是形象却很立体，有层次，空间很大。比如这次展出的提托的《背景为风景的圣母玛利亚贞女加冕》、科西莫《先祖》、焦瓦内《圣母领报瞻礼》等，尤其是安吉利科的这幅作品，从圣母皮肤的质感到内心世界全都在极薄的色彩中极其细腻地表达出来了，叫人不能不为这些古典大师的高超艺术而惊叹！

七、米开朗基罗

记得二〇〇三年夏天我在梵蒂冈博物馆内驻足太久，在外边驾车等候的朋友不断打来手机电话催促我。匆匆走出梵蒂冈后，我还是坚持拉着妻子抓紧时间跑进圣彼得大教堂。我对妻子说："你必须看看米开朗基罗的《怜悯》，哪怕只看一眼。"

上世纪九十年代末，我第一次站在米开朗基罗这件举世闻名的雕塑作品前，整整站了二十分钟。我那时的感受是——我自己成了凝固不动的石雕了。二〇〇三年这次，我再一次站在《怜悯》前面，感到的是同样的震撼与惊呆。躺在圣母身上的耶稣那么松弛，又有身体的重量感。那条垂下来的没有知觉的手臂，好像触一下就会轻轻摇动。圣母的悲哀与伤痛像浓重的雾笼罩在耶稣身上。她繁复的衣裙好似微微颤抖。她的血在光滑的大理石的躯体里流动；死去的耶稣的皮肤是冰冷的。米开朗基罗真的把古典写实主义雕塑发挥到了极致。人类已经不会再有人超越这个极限了。

为此，我一直想仔细看看这次来到我面前的这件米开朗基罗彩绘的浅浮雕——并不是因为它的市场身价最高（有人曾出价七千万美元买它），而是它不像我见过的米开朗基罗其他那些作品。

但是，我几次陪同客人进到展厅时，达·芬奇的《骑士》和米开朗基罗这件浮雕作品前总是挤着一堆人，无法上前，更无法在作品前多站一会儿。直到四月十日画展最后一天，为天大的师生们举行的专场观摩后，我便一个人来到米开朗基罗的《耶稣下十字架》前仔细观赏。于是，我被这位人类最伟大的雕塑家的艺术又一次征服。

这件陶制的浮雕作品，应该是艺术家为一件大作品制作的小样。不像他其他作品那样写实，而是写意的。十五六个人物都只有八厘米大小，几乎没有面部表情，只有动态，但所有人物的心理都鲜明而充分地表达出来。

作品描写耶稣被从十字架摘下来的过程。两条长梯倚在十字架两边。最上边一个黑衣人骑在十字架上端拉着套在耶稣胸部的布带，以保持耶稣沉重的上半身不会前栽；站在左边梯子上端的人拉住耶稣的一条胳膊，下边一人托住耶稣下垂的头颅；站在右边梯子上的是三个人。上边和中间的人从不同角度抱住耶稣的一条腿，下边一个挽住耶稣另一条腿。在各种力量的相互协作中，耶稣正被从十字架上小心翼翼地摘下来。

从力学上讲，被摘下十字架的耶稣已经死去，自身没有任何力量，只有下落的重量。那么所有人必然都向上使力，同时还要竭力保持耶稣身体的平衡，不出现意外。细看这一组人物，力量谐调一致，所有着力点都极其合理。而围在下边的一群人有的前拥，争相去接住耶稣的身体，有的掩面哀伤，或坐在地上痛不欲生。上下呼应，背景烟云涌动，光线明灭，构成整个画面——"耶稣下十字架"时特定的紧张又悲痛的气氛。

我想，如果这件作品真的放大后，制作成大型作品，一定更加震动人心。因为在这两尺多的画面上已经可以听到这一宗教悲剧巨大的轰鸣了。

有人问我说，这是米开朗基罗的代表作吗？

我说：它代表着天才的米开朗基罗。

八、最后的惊慌

四月十日画展如期闭幕。下午四时，准时摘画装箱。我又戴上雪白的手套，要和这些文艺复兴的大师们一一握手告别了。

事先准备好的包装材料，包括薄海绵、白棉宣纸和胶纸带都整齐摆在临时在美术馆支起的工作台上。

我原打算再把科西莫的《先祖》和卡莱纳托的《神奇的大拱廊》好好看一眼，但已经不可能了。待真正干起活来，只有专注又精心地把画包好和放好，不敢为个人的欲望而分心。

贝利尼博物馆在上海的代表已经在前一天抵津。我们首先要做的事，是共同检查每一幅作品是否完好。在长达半个多月的展览期间有没有受到损坏，哪怕出现些微的损害。依据是作品进馆时验画的文档资料。

在这一瞬，我有些紧张。虽然我天天闭馆后都检查一遍，但不敢说绝对不出疏漏。我心中默默祈望千万别出一点差错，让本来已很完美的事情最后十分圆满吧！

但是，意外的问题还是出来了。

先是上海方面的代表发现，柯查莱利的《帕多瓦的圣安东尼奥》的右下角出现一条裂痕。我跑过去一看，果然有一条裂痕，细如蛛丝，三公分长短。

这幅创作于一四八〇年的神像，是画在木板上的。神像外边有一圈浮雕边框，浮雕是用石膏制作的，上边贴着很厚的金箔。而这条裂痕就在右下角的柱础上，线条发白，不像是"老伤"。由于这裂痕太细，太靠边角，很难发现。

这裂纹是怎么造成的呢？在挂画时，由于这件作品很重，我特意设计了托架，按道理不应该出现裂纹？

查看此画档案，没有这条裂纹的记录。但在这个位置是绝对不可能受到外力磕碰的。

上海方面的代表很通情达理。他们说："可能是自然开裂的。先摘下装箱吧。"

我想，这个解释最合理。但我没有马上表示同意这种解释，那样做似有推卸责任之嫌。而我又找不到其他更合理的理由。此刻，画已摘下，包装入箱。一种不快的心绪装入我的心中。

此后，由 A 馆、B 馆到 C 馆，画儿一幅幅检查后摘下，包装好，装箱上锁，没再出现问题。但是到了最后又出现意外。挂在 C 馆最后一个单元中的风景画，就是提罗尼那幅描绘水乡威尼斯的风景画《带贡多拉的威尼斯风景画》，正中楼宇二层楼的窗框上出现两处破损，半个米粒大小，油色脱落，露出白颜色的底色。我用放大镜仔细观察，不像是颜色的剥落，像是硬物碰撞出来的。我们赶紧查阅这幅作品的档案，也是没有记录。难道是有人用什么东西恶意破坏的，但展厅内从开馆到闭馆一直人满满的，谁会这么大胆公开破坏？如果真动手破坏，早被当场抓住。再者，这里还有工作人员的监视和武警的看守，以及 24 小时全天候的音像监视呢。但是，谁能判断出这几个细小的破损的来由？

一时没有办法。我感到脑袋发胀。上海方面的代表说，先装箱吧，回头我们对贝利尼先生做一个说明。

我知道我的责任。不仅有法律责任，还有超出法律更大的文化责任。我忽然想起十几天前一位朋友对我说：你胆子太大了。保险三十几亿的画展也敢办，你就不怕出事吗？出了问题，哪怕一点点问题你都兜不起。

难道我不幸被他言中？

当天晚上我闷闷不乐坐在家中的书房里。尽管上海方面的代表很仁义。表示他们会对贝利尼把事情解释好，并对我说贝利尼对这个展览非常满意，不会责怪你的。我却在责怪自己。我是个完美主义者，我不愿意事情有任何失误，就像文章中出现一个错别字。

每当烦恼与疲乏时，我习惯用音乐治疗自己。晚间，坐在书房里打开音乐，心境随之渐渐宁静下来。台灯的光将书桌上一本金口的书照得锃亮。这本书是这次展览作品的图集，展览前在意大利印刷的，书口是贴金的，非常夺目。我忽然灵机一动，为什么不看看画集上这两幅作品呢。如果是"旧伤"，画集上一定有。我抓住画集，匆匆打开——找到这两幅画，果然！叫我苦恼而无法摆脱的小小的伤痕都在画集上！原来是这两件古画上的"旧残"！

心中一块石头落地。心儿关闭的门一下子打开，充满光亮。第二天一早，我就拿着画集给上海方面的代表看。他脸上顿时笑逐颜开，说："原来是以前的破损。太好了，但原先的资料怎么没有呢？看来他们的工作也有疏忽。"

我说："我们第一天验画时也有疏忽。下次绝对不会出这样的问题。"

上海方面的代表说："冯先生，不要自责了。现在可以说，这样的展览已经太完美了。"

我说："是因为我们没有放松任何一个细节。"

这天。四月十一日。春寒突袭，气候挺凉，中午下一点细雨，地上没有任何积水，却刚好压住地面上的灰尘。三时许，海关运画的车已开进天大，直抵学院的院子中央。俟风停雨住，用铲车将画箱搬上集装箱大卡车，关门上锁，缓缓启动。在这一瞬我想起昨天用白宣纸将达·芬奇的《骑士》小心地一层层包上，装入鲜黄的硬夹的那一瞬。我好像在把我自己的珍藏包起来任人割去一般。难道这些大师们与我有这般情义。由何结此情缘呢？

于是，我不觉扬起手来挥了挥，向他们告别。我想，我如果再去佛罗伦萨，我一定到贝利尼博物馆去看看这些画，我连每幅画的个性与气息都深深地记住了。待到那时，又会是怎样的感受呢？

最美好的生活总是充满想象，同时又没有回答。

二〇〇六年五月

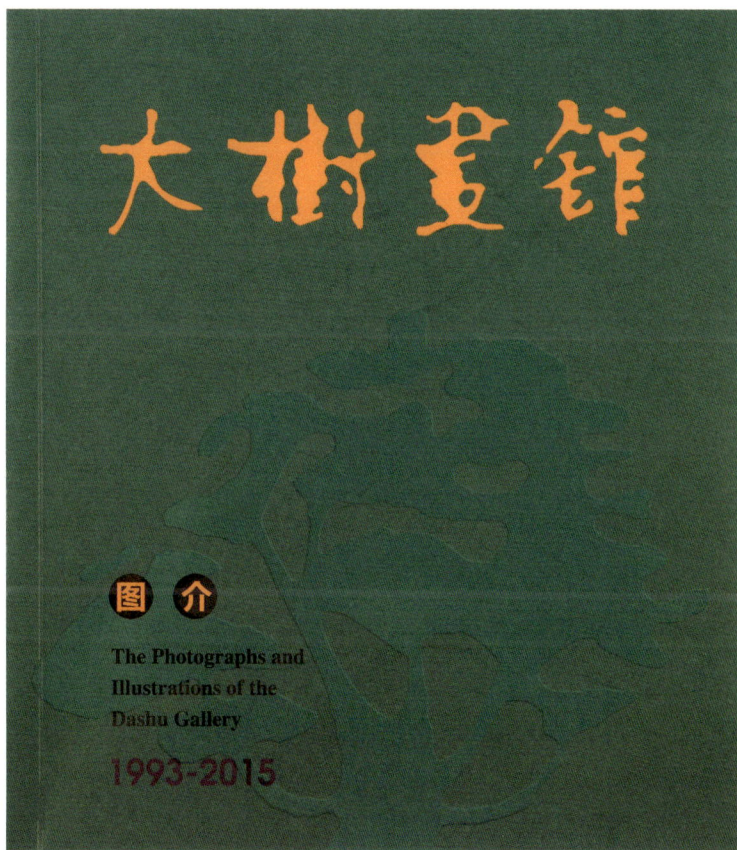

《大树画馆图介 1993—2015》封面

天一阁观画记
——《天一阁藏书画选》序

　　吾乡宁波，别称甬，古来以四香传扬天下。四香者，谓之曰：米香、鱼香、书香、墨香也。

　　自河姆渡发掘出金灿灿七千年前之稻谷，吾乡便被看做中华粮米之源头。放目甬地，水光盈盈，物皆倒影；地上池泊毗邻，地尽海浪相迎，真乃鱼之世界。锦鳞鲜美以养脑，珠米精醇以养身，此天赐甬人福祉矣！

　　然甬人不以衣食温饱为平生事，素来风习儒雅，极好读书，修身养性之外，更求博知广闻于天下。于是兴造书楼，珍藏典籍，传祚后人。其间以天一阁为冠，册数之巨，海内无出其右。孤本善本，天下称奇，纸香书香，四海可闻。金银财宝富有限，知识精神贵无算。于是异地之人，对吾乡文化之素养只能仰视，不敢侧目。

　　再者，文人文房，向来翰墨一体，诗画同心，书香墨香相和而不相分。然世人只知天一阁藏书鼎富，不知天一阁藏画亦丰。壬申仲阳，吾归故里访祖寻根，兼假宁波美术馆举办"敬乡画展"，因之得以观瞻天一阁藏书楼。承蒙阁中父老厚情相待，展示书画珍藏。观画时，阁中人凡触摸藏品，必戴雪白手套。庋藏之严，令人钦敬；爱惜之深，感吾不已。而此中藏品，其品格之高迈，品相之完美，收藏者品位之不凡，更令吾连连赞叹。不禁道："天一阁藏书楼该另有一称呼，叫做天一阁藏画楼了。"众人听罢皆笑。笑中透出一分自豪，二分自得，十分自信。然甬人之笑，唯破颜而不出声，此亦吾乡温文尔雅之风乎？

　　自壬申返津数年矣！时时念及天一阁那些长卷短轴。每与朋友叙说，首当其冲便是黄慎《杨柳鹭鸶图》。当年观此画时，似乎听到瘦瓢笔扫纸面之声，着力劲健，其声清爽；于今思之，犹有行笔之声飒飒在耳。天下名画，多记其形，何人之作，堪记其声？

天一阁藏扬州八怪之作甚多，令吾长记不忘者，还有李鳝《秋葵凤仙图》。笔墨挥运之际，虽与黄慎一般劲健，却不求爽利，唯求坚挺。画中秋花已非寻常秋色，乃画家不苟时尚之高洁情怀也。而此次观画不该舍而不谈者，应是虚谷和尚《紫藤金鱼图》：紫藤花下，三鱼畅游，二红一黑，红鱼正身挺进，黑鱼反身相戏，白白肚皮绽落出来。这水中笨拙翻转之一瞬，显出画者的自如与幽默。此种画鱼，尚属罕见。于是平常画面，陡然意趣横生。中国画衍至清代中期，创意衰微，相互传袭，千人一面。所谓大家者，皆是虚谷这般骤生意外，想象非常，越出矩囿，一任情怀，画史之活力与进步便在其中。

壬申观画，感受殊深，应是无数精品，在甬一方。但毕竟时光邈远，淡忘日多。幸好近日天一阁来人，言称将出版《天一阁藏书画选》，嘱吾作序，并送来选目及藏品照片近百帧。披览这些照片，不单复活记忆，更了解天一阁藏品全貌。其中若干前所未见，尤以书法为多。一旦纵观全豹，更是绚烂惊人！

天一阁所藏书画，上及元明，下抵近世，历时数百载，代代宗师，多有真迹，且不乏精品力作。书法中，清人查士标《行书轴》，明秀超逸，无字不精，书在人在，当为上品；钱维乔《行书子安山亭序轴》，于含蓄中见清放，于端庄中显洒脱，通篇气势流贯，满幅神采飞扬，即使置于整个清代翰墨间，也信是一件杰作。与此同在高阶者，还有文震孟、陈继儒、沈明臣、祁豸佳、祝允明、徐渭、张瑞图、弘一法师，等等。枝山之飘逸奔突，瑞图之明快奇险，继儒之才情并茂，明臣之枯秀兼得，无不从中可见。而宋人黄庭坚《草书刘梦得竹枝词卷》和元人李衍《楷书张公艺赞》，何止于阁中之宝，当为国宝也。

至于绘画，更是蔚为大观。在所藏明人画作中，既可神领董其昌、文征明、倪元璐等文人画家之笔情墨韵，也可一睹张平山为代表院体画派大刀阔斧之精神。由是而下，清代藏品更具周详。自四王称雄之主流派、扬州画派、金陵八家，及至清末海派，无一不有，面面俱到，一展清代画坛斑驳缤纷之风采。

单是罗聘一幅《墨梅图》，足令人再进一次天一阁。该阁非专业书画博物馆，有此规模，足见甬城崇尚书画传统之渊源！

天一阁位居甬城中心，阁外市声环绕，阁内景致清幽，尘埃不起，宛如世外。其间林树参错，楼宇掩映，庭院巧构，草木精植，怪石嶙峋，池水潋滟，竹影铺地，苔痕上阶，鸟似风叶，蝶如飞花，春秋皆画，雨雪亦诗。这般景色，与阁内珍藏之画幅书轴，图籍卷帙，相互濡染，生出无限深浓之书卷气。中华雅文化之精华，可在阁内尽享。

天一阁为明人范钦所建。范钦平生收集古今图籍，公私刻本，政书文献，拓册帖石，累积数万，皆珍存楼中。范钦后，其子大冲继承书楼，苦心保管，百倍珍惜，并立下八字规章"代不分书，书不出阁"。尽管数百年来，历经兵燹窃盗，各地书楼荡然，唯此岿然独存。

甬人有此先人，必亦有此后辈。先人造福于我辈，我辈如何造福于后人？

话说至此，思绪漭然，似在观画外，皆在观画中。

是为序。

丙子夏末于津门俯仰堂

关于艺术家

    人类艺术史的进程中，两次迈出巨人的脚步：一次是从自发的艺术到自觉的艺术，一次是从自觉的艺术到艺术的自觉，后一次的缘故是艺术家的出现。自此，艺术就变得无比艰难。

    艺术家的工作是把艺术个性化。创造的含义就变为独创。艺术中没有超越，只有区别，成功者都是在千差万别中显露自己。艺术家的个性魅力成了他艺术的灵魂。于是，平庸与浅薄被视为垃圾，因袭模仿被看做偷窃，都是艺术的淘汰物。但是如何把个性魅力变成个性艺术？艺术家们各有各的秘密。

    凭仗着他们的努力，创造一个世界。这世界不是现实世界的复制。智慧到处发光，才华到处流溢；所有颜色都是语言，所有声音都有灵性，所有空间都充满想象。这世界的一切，都是由无到有，每个人物都是虚构而成，还要同活人一样有血有肉有性格有心灵，可是这些人物的生命却从不依循活人的生死常规；不成功的人物生来就死，成功的人物却能永恒。有时，他们在书中戏中电影中死去，但在每一次艺术欣赏中重新再活一次，艺术有它神秘的规律。由于艺术的本质是生命，它一如人的生命本身，是个古老又永远不解的谜。

    艺术家生存在自己的艺术中，艺术一旦完结，艺术家虽生犹死。长命的办法唯有不断区别别人，也区别自己。这苛刻的法则便逼迫艺术家必须倾注全部身心，宁肯在人间死掉，也要在艺术中永生。难怪他们在现实生活中七颠八倒，在虚构的世界里却不会弄错任何一根纤细的神经。反常的人创造正常的人物。人们往往能宽恕艺术中的人物，并不能宽恕生活中的艺术家。他们照旧默默吃苦受罪，把用心血煅造出的金银绯紫贡献给陌生的人们。一旦失败，有如死去，无人理睬；一旦成功，自己却来不及享受。因为只要不再超越这成功，同样意味着告终。

但真正的艺术又常常不被理解。在明天认可之前，今天受尽嘲笑；成功不一定在它的诞生之日。不被理解的艺术与失败的艺术，同样受冷落，一样的境遇，一样的感觉。艺术家最大的敌人是寂寞，伴随艺术家一生的是忽冷忽热的观众、读者和一种深刻的孤独。

这便是我心中的艺术家，天生的苦行僧，拿生命祭奠美的圣徒，一群常人眼中的疯子、傻子或上帝。但如果没有他们，人类的才智便沉没于平庸，生活化为一片枯索的沙漠，好比没山，地球只是一个光秃秃暗淡的球体。

一九八七年十一月七日于天津

在摩耶精舍看明白了张大千

    摩耶精舍是张大千先生平生最后一个故居,拜谒摩耶精舍是我赴台间的一个心愿。这心愿缘自遥远的少年习画的时代。

    那时,悬挂在我桌案对面的大镜框里就镶着大千先生一幅写意山水,是上世纪四十年代父亲托人从颐和园买来的,据说当时大千先生住在那怡人的湖光山色之中,一边养性一边作画。父亲共买了两幅,都是五尺中堂大画;一幅浅绛,一幅水墨。浅绛那幅花青用得极美,如蓝天一般清澈;水墨这幅更好,消融在水中透明的墨色好似流动着,一如梦幻。这两幅画我换着挂,过一阵子换一换,挂这幅时把那幅放在后边。"文革"时便被"革命小将们"一起扔到院子,扯烂烧掉。

    画没了,可画的感受却牢牢驻在我心里。此番来看大千先生的故居是为了重温那两幅失不再来的画吗?绝不仅仅如此。我是想看到他所有画作之外的至关重要的东西,想进一步认识他,可是我能看到这种东西吗?

    摩耶精舍在台北的正北面,毗邻台北的故宫博物院,面朝着一条从山林深处潺潺而来的溪水。一边是精深儒雅的人文,一边是天然的山水;大千先生在上个世纪七十年代末(一九七八年)自美国迁返中国台湾定居时,买下了这块土地。这天下少有的富于灵气的地方是被他看出来的,还是悟到的?此前这里可是个废弃的养鹿场呵。

    大千先生是少有的活着时候就能享受到自己创造成果的画家。这样的人还有毕加索和罗丹。不像梵·高终生扛着自己的艺术追求如负苦役,死后却让数不尽的精明人拿他的画发财。但大千先生会怎样使用他的钱财?像个豪绅那样炫富和铺张吗？

当然不是。

大千先生的故居貌不惊人。一座朴素的门楼静静地立在一条弯弯曲曲上坡的小道边，倘若门楣上不是悬挂着台静农题写的"摩耶精舍"的墨漆木匾，谁知这是一代大师的故居？从墙头上生出的鲜红又秀气的爆竹花，一束束闪闪烁烁悬垂下来，看上去只像是一个喜好野趣的人家。

摩耶精舍是大千先生为自己"创作"的作品。他把一座别出心裁的宽敞又松散的双层的楼式四合院放在这块土地的中间。前后花园，中间也有花园。前园很小，植松栽竹，引溪为池，大小锦鲤游戏其间；房子中间还有小园，立石栽花，曲廊环绕，可边走边赏。台湾多奇花异卉，外地人大多叫不上名字；至于后园与前边的园子就大不一样了。来到这里，视野与襟怀都好像突然敞开，满园绿色似与外边的山林相连。据说这后园本无外墙，由于溪谷就在跟前，每有大雨，溪水迅猛，常常涌至屋前，故而修筑一道围墙，很矮，只为防水，不叫它妨碍视线；大千先生还在园中高处搭了两座小亭，以原木为柱，棕榈叶做顶，得以坐观山色溪光晨晖暮霭林木飞鸟是也。

大千先生说："凡我眼见，皆我所有。"

这后园一定是大千先生心灵徜徉之地。在园林的营造上，大千先生一任天然，稍加修整而已，好似他的泼墨山水。园内的地面依从天然高低，开辟小径蜿蜒其间；草木全凭野生野长，只选取少许怪木奇花栽种其中；水池则利用地上原有的石坑，凿沟渠引山泉注入其内。大千先生的母亲曾嘱咐他，不要抬头望月，大千先生便常借这水池中的月影来观月赏月，故取名影娥池。娥，乃姣好的嫦娥。

院中有一长条木椅，式样奇特，靠背球样地隆起，背靠上去很是舒服，尤其是老年人；这是大千先生四川老家独有的一种椅式。他每作画时间长，辄必背部酸疼，便来院中坐在这椅子上，一边歇背一边赏树观山，吸纳天地之气。

悉心琢磨，大千先生这后花园构思真是极妙。院外是一片自然的天地，矮矮的围墙不去截断自然，园内园外大气贯通，合为一体。那么房子里边呢？

也一样融入了这天地的生气与自然的野趣。里里外外到处陈放他喜好的怪木奇石；一排挂在墙上的手杖，没一根是镶玉包金、安装龙头豹首的名牌拐杖。全是山间的老枝、古藤、长荆、修竹，根根都带着大自然生命的情致和美感。这美与情致到了他的画上，一定就是好山水了。

大千先生的画室也是我感兴趣的地方。

大千先生的故居是在他去世（一九八三年）后，由他的家人不动分毫地捐献出来的，现归台北故宫博物院管理。摩耶精舍内的一切都一如既往，家具物什完好如初，纸笔墨砚都放在老地方，好像大千先生有事暂时出门一般。

画室内最惹我注意的是，大千先生画案下有一小木凳，高约二十公分。川人身材偏矮，大千先生每作大画便要踩上这木凳。他住进台北的摩耶精舍时已七旬以上，偏偏这时期他多作泼墨泼彩的大画。画室挂着一张照片，上面大千先生双手握着巨笔，站在木凳上泼墨作画，夫人在身后扶着他的腰部。我还注意到，铺在画案的纸上有水的反光与倒影，可见他泼墨画中用水颇多。水多则墨活，也更自然，并且多意外的情景出现。应该说这幅照片泄露出大千先生那些奇妙的泼墨泼彩画的"天机"。

当然，更泄露出大千先生艺术"天机"的还是他的故居。大千先生旅居巴西时的八德园和美国的环荜庵全都是自己设计的，这"叶落归根"的摩耶精舍更倾注他的心血。从中，我们不仅看出他的趣味、审美、修养和性情，还体悟他的自然观、生命观与精神至上的境界。这里是他精神的巢和心灵的床。为建造摩耶精舍，他用了许多钱财，不少奇石是从巴西、日本与美国高价运到中国台湾的。但在这里——财富化为了美。既没有世俗的享乐和物欲的张扬，没有鄙俗的器物与色彩，也没有文化作秀，而是一任自己的性情——对大自然和艺术本身直率的崇拜与神往。这就更使我明白上世纪四十年代初，在中国画坛如日中天、其画作一时洛阳纸贵的张大千，为什么会忽然远赴大西北那个了无人迹的敦煌，一连两年漫长的时间里，终日在那些破败的洞窟中爬上爬下，给洞窟断代编号，还请来藏族画师协助制作颜料与画布，举着油灯去临摹幽暗的窟壁中的那些被历史忘却了的伟大的艺术遗珍。

现在，我们把敦煌的大千先生与这里的大千先生合在一起，就认识到一位大师的精神之本，也就更深刻地认识到他的艺术之魂。

这里所有钟表的指针被永远固定在他离别的那一刻——一九八三年四月二日八时十五分；他的遗体就葬在后园的梅林中；然而在摩耶精舍无所不见他影响着我们的精神。

这便是故居的意义，艺术家往往把他们真正有价值的东西无形地放在其中，就看我们能不能发现。

在摩耶精舍，我相信，我看明白了张大千。

二〇一一年一月

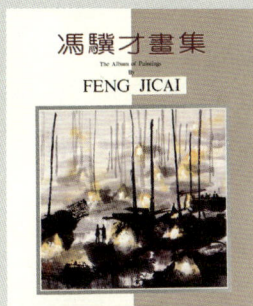
《冯骥才画集》

《温情的迷茫》

《丹青集》

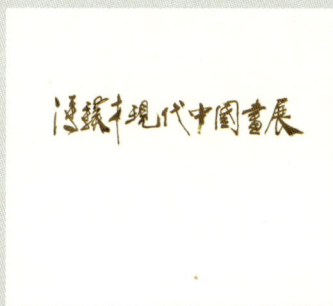
《冯骥才现代中国画展》

《画外话·冯骥才卷》

《冯骥才画中心情》

《名家名品·冯骥才》

《当代书法家丛书·冯骥才》

《民间，民间…》

《心中十二月》

《水墨诗文》

《文人画宣言》

《戊子之春》

《笔墨精神，光影灵性》

《冯骥才画集 (1990–2010)》

《心居清品》

各种画集版本、十六张

对一位背对市场艺术家的精神探访

　　我一直为"面对艺术背对市场"的主张寻找一位纯粹的奉行者，后来在奥地利的画坛找到了，他便是抽象主义绘画大师马克斯·魏勒。但找到他时，他已经死去。为此，我与他夫人伊雯·魏勒做过两次长谈，通过画家平生真正的知音——魏勒夫人的口述，记述了这位把整个生命融在调色板上而不去旁顾市场一眼的艺术家的人生故事。然而，我还是心怀遗憾。因为这个人究竟已经不在世上。我理想的人总不能都在天堂。

　　但这一次却补偿了我。魏勒夫人请我去看刚刚开幕的"马克斯·魏勒绘画展"，展览在大名鼎鼎的维也纳现代艺术博物馆。据说这个展览分阶段地展示马克斯·魏勒全部的艺术历程。对于一位真正的艺术家来说，作品就是他本人，或者更能见证他精神的求索。因此，我把观看他此次画展作为对他的一种精神的探访——这便使我结束了对赫尔辛基访问的转天就搭飞机急匆匆赶往维也纳。

　　使我意外感兴趣的是魏勒夫人邀请这个画展的策展人、原现代艺术博物馆馆长柯普先生陪同我观看展览。我知道，柯普是一位颇具思想力度的艺术批评家。我读过二〇〇五年他为在中国北京等地举办"奥地利新抽象绘画展"而出版的画集写的前言。那篇文章几乎是他铁杆地支持抽象绘画的一纸宣言。他的脑袋里条理清晰地装着完整的欧洲抽象画史。和他一起看画展，一定会使我另有收获。

　　柯普先生在介绍举办这次画展的初衷时，一开口就像抽象画家的律师，他强调上个世纪以来，随着传统的具象绘画的两大功能——记录与阐释已被现代科技包括照相术与媒体传播所替代，画家不可避免要重新确认绘画的本质，也必然会在传统的具象之外去寻找新的空间；于是，应运而生的抽象艺术使绘画"死而复生"并充满潜能。马克斯·魏勒正是身处在这个时代绘画何去何从之中的人物。在柯普看来，魏勒要不在具象中默默死去，要不在抽象中获得新生；这个展览正是想叫人们去看魏勒究竟怎样在抽象艺术中创造出自己来的。

一

　　策展这个概念必须认真说一说。

　　由作品研究获得发现性的成果，再将这有认识价值的研究结果还原到作品中，以展览的方式体现出来，这是当代西方艺术博物馆普遍使用的策展方法。

　　记得曾在慕尼黑的美术馆看过一次关于康定斯基的展览。展览分了三部分，第一部分是康定斯基出现前的欧洲绘画；第二部分是康定斯基及同时代画家（这中间包括克利和蒙德里安等）的作品；第三部分是康定斯基之后的欧洲绘画。这一展览十分鲜明地突显出康定斯基给欧洲绘画带来什么及其在绘画史上划时代的意义。

　　这样办展览才是"策展"。"策展"需要思想与艺术的创见，而非低水平的作品陈列。严格地说，我们的美术馆和博物馆还缺乏这种策展人来策展。

　　此次马克斯·魏勒绘画展的策展同样清晰地体现，这样一种深度的意图。它在魏勒各个时期绘画中挑选最具思考与探索意义的作品，有序地展开，使人一目了然地走进他一生曲曲折折却锲而不舍的艺术探求的主线，清楚看到他怎样从一种写实和具象的绘画，经过苦苦的自我磨砺，最终成为一位充满个人魅力的欧洲抽象艺术大师。

　　柯普先生用"压力"这个词汇，表述魏勒的绘画最初抛开具象而走向抽象的缘由。我问他：你认为，是为崛起于当时欧洲画坛的抽象主义崭新的潮流所迫，还是追求一种艺术时尚，抑或另有原因？柯普说，当时人们并不知道新兴的抽象绘画究竟落到什么结果。比如法国，上世纪前半叶相当一段时间它还不被人们认可，但那时西方许多画家都在寻找一种全新的、甚至是国际化的艺术语言。这当然与二战之后正在迅速重构并充满社会活力的整个西方世界密切相关。而对于奥地利来说，在分离主义绘画以及克里姆特和席勒之后，画坛沉默着，似乎期待着一些新的夺目的面孔和响亮人物的出现。当然，魏勒不曾想过去担此大任。但是他从忽然来到眼前的抽象绘画中感觉到有一个巨大的空间可以走进去。

然而，新生的抽象绘画是困惑、艰难甚至孤单的。这因为审美习惯是人身上一种相当固执的存在。何况人的视觉认识原本就来自具象，绘画又是最根本的视觉艺术。可以说，人类的绘画一开始就是具象的，几千年没有变过，一直到"疯狂的变形"的毕加索也没离开具象的原点。

更难改变的在画家本人身上。特别是对于那一代由具象转向抽象的画家来说，具象并不是艺术方式，而是一种本能；具象的画家连想象与灵感都是具象的。这也是那一代画家很难从具象蜕变出来而走向抽象的根由。从展厅中魏勒四十年代至六十年代的作品中，可以看到画家尚未突出樊篱时的烦恼、焦灼、横冲直撞与各种不成功的试验。这使我想到晚年的吴冠中，他一直被亦成亦败亦苦亦乐伴随着。然而，划时代的大师正是在这充满压抑的黑暗里带着一片光明走出来。展厅中一件名为《别样风情·锈红山之初稿1962/1963》的特殊的"作品"颇引起我的兴趣。它是新近被研究者发现的。这件"作品"实际是一块溅染了彩墨的小纸片，只有七点三乘十五点五厘米大小，但上边奇异的图像却给魏勒以灵感。在这纸片上，可以清楚看到，魏勒用铅笔画了一个长方形的框线，圈出一块更小局部，一下子把纸片上那种奇异的感觉更加突出出来；而在这《别样风情·锈红山之初稿1962/1963》旁还有一幅很大的作品《别样风情·锈红山1963》（96×195cm），其画面恰恰是《别样风情·锈红山之初稿1962/1963》中框线内图像的放大和复制。复制得虽然很准确，很像，却不如其所愿，它拘谨又呆板，远不如那块小纸片上的图像自然而灵动。他竟然这样画过他的抽象画吗？这使我从中看到魏勒的抽象绘画曾经陷入过山穷水尽与步履艰辛的地步。

然而，真正的艺术家都是在漆黑一团的夜空深处发现明星；在那种无休止的不间断的自我折磨中，迟早一天会奇迹般地立地千尺。

七十年代后，魏勒的作品如顶着白雪的山峰，从迷雾的纠缠中显露它的峻拔。魏勒渐渐找到自己的世界。特别是那些大幅乃至巨幅的作品，已使我们感受到他的充分、从容和自由的自我。当然，他仍没有放弃新的探索与新的可能，因为在他这一阶段作品中间，依然夹杂着种种试验与失败。对于一个伟大艺术家来说，失败是终生的伴侣，成功是偶然邂逅的情人。魏勒一生画了七千幅作品，从来没有过重复之作。这表明他的探索性，也证明他没有为市场打工。柯普对我说："他只把自己想到的东西呈现在画布上。画完就放在一边。他不卖画，甚至很少参加展览。"

这不正是我所寻找的真正"面对艺术背对市场"的艺术家吗？

二

我通过一起观看画展的德文极精的翻译家徐静华女士对魏勒夫人再次表示敬意。

我深知伊雯·魏勒在魏勒艺术事业上的作用与意义。

她比魏勒年轻三十五岁。早在上世纪六十年代第一次接触魏勒的抽象绘画时就被倾倒。她知道魏勒性格孤僻沉默，郁郁寡欢，几乎与世隔绝，终日"生活在自己的眼睛里"。他不善交际，仅有两个好友后来都相继死去。他从不与画商打交道，人们自然对他的画认识十分有限。她认为应该有人帮助魏勒，让世人认识他，也就必须通过画展与市场这两个公共的渠道与平台推介他的作品，她自愿承担这个使命。从那时起直到后来与魏勒结为夫妻，他们的方式相当美妙：一个用整个生命去创造艺术，一个以全部精力将这非凡的艺术推到世人眼前。

魏勒夫人不反对说她是他的"经纪人"，但她反问经纪人只是为了给画家卖画吗？她说她刚刚认识魏勒时，人们并不了解魏勒，魏勒的画价钱十分有限，但他的画却是绝对一流的。经纪人也是有社会责任的——向社会推介好的艺术。

如今魏勒是奥地利最受敬重的艺术家，市场价格极其昂贵。这就有人会疑惑，这位年轻的懂艺术的夫人是否更想为自己的未来创造财富？

　　难道世界上所有动机都来自利益？是不是我们的世界观出了问题？

　　魏勒已去世十年。魏勒夫人依然孜孜不倦以各种方式帮助人们理解魏勒。两年前我在维也纳见到魏勒夫人，她说她打算举办一个别出心裁的魏勒画展，在每一幅魏勒的作品前，摆一件中国的山石小品。她说奥地利有一位藏家收藏了一些极精美的中国古代山石小品。她想把魏勒的画与中国的山石配起来，让人们从展览中找到魏勒的抽象画与中国古代山水画的关系，因为艺术圈内的人都知道魏勒的抽象语言曾经得到过中国山水画——特别是宋代山水的神示。

　　此次一谈方知，那个别具深意的展览已经在维也纳成功举办过了。现在看到的展览却是为了促使人们进入魏勒世界而设计的另一个入口。

　　魏勒夫人曾对我说，魏勒每一幅画都在寻找一种新的可能性，都有意想不到的东西出现，而且都很完整。魏勒脑袋里的想法无穷无尽。在她看来，她要为魏勒做的事远没结束。

　　记得，她曾送我一套海顿作品集。一盒八张，盒子有些旧。她说魏勒最喜欢海顿，在魏勒的葬礼上就放着海顿的音乐，她说"非常的美"。我回来听，是美。但一定不是她感觉的美。那种美是她与魏勒之间特有的气息，是属于艺术与精神的，与市场无关。

三

　　在展厅中，我与柯普先生交谈的一个话题是魏勒在中国宋代山水画中究竟得到了什么。

　　宋代山水是具象的，魏勒的绘画是抽象的。抽象怎么汲取具象。依我看，他是把具象的中国宋代山水抽象了，或者说用抽象的思维把宋代山水抽象化，然后升华出他心领神会到的精神元素。是哪些元素呢？出生在奥地利蒂洛尔州的魏勒，连骨子里都浸透着阿尔卑斯山起伏纵横时散发出来的情感与气质。他这种近乎天性的气质与中国山水画成熟期（两宋）那些大师巨匠笔下的高山深谷、重峦叠嶂、树海林莽、云雾烟岚一拍即合。他从宋代山水感悟到的是一种大气、灵动和对大自然的欣赏与敬畏。在他尚未脱开具象绘画的早期，其作品（如《风景如画》1962）甚至还可以清楚地看到对中国山水模写的痕迹，及至八十年代其画作（如《倾盆暴雨》1980）已经找不到中国山水的任何踪影，他所吸收的全化为自己那种清灵又恣意的生命。

我对柯普说，中国山水画可以大致分为两个时期。一是两宋的写实，一是宋代之后的文人写意。其实两宋山水的写实也不同于西方风景的写实，中国的山水画从来都是主观的和理想主义的。在造型上，还有介乎具象与抽象之间的意象。这也是中国画特有的形象观。我认为，它正是抽象画家魏勒能够与之"交接"的缘故之一。能从魏勒的作品看到一些意象的东西吗？如果宋代山水画像英国水彩风景那样写实，恐怕魏勒就会与之毫不相关了。

反过来说，中国当代的抽象画完全有自己的一条道可走。但可惜现在已经陷入一条按照西方的文化观念处理西方感兴趣的中国社会题材的死胡同里了。

柯普说，更重要的是市场的诱惑，他认识一些中国当代艺术家，很有才气，但这两年在北京见到他们，开着好车，抽着名牌雪茄；他们的画在市场卖得很贵，但他们不再往前走，不再探索。他们已经不断重复自己了。

话题又回到魏勒身上。

记得我曾问过魏勒夫人。魏勒的画是较晚才走红于市场的。是不是迟一些了。如果早一些进入市场，会不会对他在各方面都更有帮助。

魏勒夫人摇摇头说，一个画家如果太早进入市场，画卖得好，他就会不断重复自己，不会全心地去思考了。

这恐怕是当代中国绘画必须面对的问题。我们不是很久没有振聋发聩的画作或那种令人觉得天地一新的人物出现了？但一边却听到疯狂增长的天价书画频频冲入我们的耳鼓。一位画家朋友美滋滋对我说，我的画价又涨了，我笑着反问他，你的画有什么改变。如果画没变化，价钱高低与艺术何干？

但我们的画坛正在千军万马地陷入市场。

画坛是要纯洁地独立在市场之外的。市场一旦进入画坛，就一定改变画家的价值观，进而消解了艺术的原动力，甚至世俗了艺术的本身。艺术家当

然不是拒绝市场，但真正的艺术家是不会为市场作画的。他高贵的心灵应永
远生活在艺术的天国里。

二〇一一年七月十四日

《冯骥才画集》出版首发式。

大话美林

一

在当今画坛上，能够让我每一次见面都会感到吃惊的是——韩美林。

昨天刚被他一种全新的艺术语言所震撼，今天他竟然把他的画室变成一片前所未见的视觉天地。

一刻不停地改变自己，瞬间万变地创造自己。每一天都在和昨天告别，每一天都被他不可思议地翻新。然而，真正的才华好似在受神灵的驱使，不期而至，匪夷所思，不仅震动别人，也常常令自己惊讶。每每此时，他便会打电话来："快来我的画室，看看我最新的画，棒极了！"他盼望亲朋好友去一同共享。等到我站在他的画前，情不自禁说出心中崭新的感动时，他会说："你信不信，我还没开始呢！"

这是我最爱听到的美林的话。

此时，我感到一种无形而磅礴、不可遏制的创造力在他心中激荡。他像喷着浓烟的火山一样渴望爆发。这是艺术家多美好的自我感觉与神奇的时刻！

二

美林的空间有多大？这是一个谜。

二十多年来，我关注的目光紧随着他。一路下来，我已经眼花缭乱，甚至找不到边际与方向。一会儿是一片粗砺又沉重的青铜世界，一会儿是滑溜溜、溢彩流光的陶瓷天地；一会儿是十几米、几十米、上百米山一般顶天立地的石雕，一会儿是轻盈得一口气就可吹起的邮票；一会儿是大片恢宏、变幻万千的水墨，一会儿是牵人神经的线条，或刚劲或粗野或跌宕或飞扬或飘逸或游丝一般的线条。一切物象，一切样式，一切手段，一切材料，都能被他随心所欲地使用乃至挥霍，他要的只是随心所欲。

在这心灵的驰骋中，艺术的空间无边无际。地球可以承载整个人类，每个人的心灵却都可以容纳宇宙。尤其是艺术家的心灵。他们用心灵想象，用心灵创造，更因为他们的心灵是自由的。

美林艺术的灵魂是绝对自由的。这正是他的艺术为什么如此无拘无束与辽阔无涯的根由。

谁想叫他更夺目，谁就帮助他心处自由之中；谁想叫他黯淡下去，谁就捆缚他约制他——但这不可能——他就像他笔下狂奔的马，身上从来没有一根缰绳。

三

美林还是评论界的一个难题。

这个兴趣到处跳跃的任性的艺术家，使得评论家的目光很难瞄准他。他艺术中的成分过于丰富与宽广。如果评论对象的内涵超过了自己熟知的范畴，怎样下笔才能将他"言中"？

在美林各种形式的作品中，可以找到中西艺术与文化史的极其斑驳的美的因子。艺术史各个重要的艺术成果，不是作为一种特定的审美样式被他采用，而是被他化为一种精灵，潜入他的艺术的血液里。就像我们身上的基因。

依我看，他的艺术是由三种基因编码合成的。一是远古，一个现代，一是中国民间。

在将中国民间的审美精神融入现代艺术时，美林不是以现代西方的审美视角去选择中国民间的审美样式，在那一类艺术里，中国的民间往往只剩下一些徒具特色却僵死的文化符号。在美林笔下，这些曾经光芒四射的民间文化的生命顺理成章地进入当代；它们花花绿绿，土得掉渣，喊着叫着，却像主角一样在现代艺术世界中活蹦乱跳。

同时，我们审视美林艺术中古代与现代的关系时，绝对找不到八大、石涛或者毕加索、达里的任何痕迹。然而中国大写意的精神以及现代感却鲜明夺目。美林拒绝已经精英化和个体化的任何审美语言，不克隆任何人。他只从中西文化的源头去寻找艺术的来由。

我一直以为，远古的艺术和乡土之美能够最自然地相互融合，是因为这些远古艺术，大地上开放的民间之花，都具有艺术本源的性质，原发的生命感，以及文明的初始性。而这些最朴素、最本色的文化生命，不正是当前靠机器和电脑说话的工业文化所渴望的吗？

因此说，美林的艺术既是现代的，人类性的；又是地道的华夏民族的灵魂。

四

美林的世界都是哪些角色？

只要一闭眼就能涌现出来——倔犟的牛、发疯的马、精灵般的麋鹿、嗷嗷叫的公鸡、老实巴交的羊以及叫人想把脸颊贴上去的无比温柔的小兔小猫。

其实它们并不是美林客观的"绘画对象"，而是画家一时心性的凭借。美林性格中那些与生俱来的执拗、坚韧与率真，心绪中那些倏忽而至的昂奋、快意与柔情，全都鲜活地表现在他笔下这些生灵的身上。我从来都是从这些生灵来观察他当时的生命状态。在我的学院大楼落成剪彩那天，美林送来一匹丈二尺的巨马，这马雄强硕大，轰隆隆奔跑着，好似一台安上四条腿的蒸汽机。我对美林说：凭这股子元气你能活过一百岁！

美林世界的一切都是他生命的化身。不知还有谁的艺术拥有如此纯粹的生命感。他时不时会顺手拿起身边一件亮晶晶、造型奇特的陶壶陶罐，对你说："看这小胖子，多神气！"或者"瞧它呼呼直喘气，可爱吧！"

这种生命感，还从形象到抽象，从画面上每一根线条到他神奇的天书。

这些来自于汉简、古陶、岩画、石刻、甲骨和钟鼎彝器的铭文中大量的未可考释的文字，之所以诱惑着他，不只是每一个文字后边神秘莫测的历史信息，而是至今犹然带着远古人用来传达所思所想时生命的活力与表情。美林之所以把它们重新书写出来，不是对这些罕见的古文字的一种审美上的好奇，更不是在视觉上故弄玄虚，而是想唤醒那些遥远而丰盈的生命符号和符号生命。

美林的世界的所有角色，其实都是他自己。任何杰出的艺术家都是极致的自我。为此，这个好动的画家的笔下的一切，都充满动感，很少静态；过分的情绪化，使得他喜欢瞬息间完成作品，阔笔泼墨自然是其拿手的本领。天性的豪气，令其书法字字如虎。他不刻意于琐细，没有心思在人际做文章，甚至不谙人情世故，所以千差万别的个性的人物，从来不进入他的世界。有人问他："你为什么不画人物？"

我在一边说："刻画人物是作家的事。"

五

美林的原创力是什么？

在美林艺术馆一面很长的墙壁上挂着一百多个小瓷碟。每个小碟中心有一幅绘画小品。虽然，画面各不相同，但画中的小鸟小兔小花，连同各种奇妙的图案都在唱歌。这是美林与建萍热恋时，他从电话中得知建萍由外地启程来看他——从那一刻起，他溢满爱意的心就开始唱歌。他边"唱"边画。各种奇妙之极的画面就源源不绝地从笔端流泻出来。爱使人走火入魔，进入幻境；幻想美丽，幻境神奇。美林全然不能自制，直到建萍推门进来，画笔方歇。不到一天，他画了一百七十九幅小画。这些画被烧制在一般大小粗釉的瓷碟的碟心，活灵活现地为艺术家的爱作证。

尽管谁都愿意享受被爱，但爱比被爱幸福。爱的本质是主动的给予。这个本质与艺术的本质正好契合。因为，艺术不是获取，也是给予。爱便成了美林艺术激情勃发的原动力。美林的爱是广角的。他以爱、以热情和慷慨对待朋友，对待熟人，甚至对待一切人，以致看上去他有点挥金如土。这个爱多得过剩的汉子自然也常常吃到爱的苦果。不止一次我看到他为爱狂舞而稀里糊涂掉进陷阱后的垂头丧气，过后他却连疼痛的感觉都忘得一干二净，又张开双臂拥抱那些口头上挂着情义的人去了。然而正是这样——正是这种傻里傻气的爱和情义上的自我陶醉，使他的笔端不断开出新花。其实不管生活最终到底怎样，艺术家需要只是此时此刻内心的感动与神圣，哪怕这中间多半是他本人的理想主义。

哲学家在现实中寻求真理，艺术家在虚幻里创造神奇。

到底缘自一种天性还是心中装满爱意，使美林总是尽量让朋友快乐，给朋友快乐？他以朋友们的快乐为快乐。他的艺术也是快乐的，从不流泪，也不伤感，绝无晦涩。这个曾经许多次与死神擦肩而过的汉子，画面上从来没有多舛的命运留下的阴影，只有阳光。他把生活的苦汁大口吞下，在心中酿出蜜来，再热辣辣地送给站在他画前的每一个人。美林是我见过的最阳光的画家。

最大的事物都是没有阴影的。比如大海和天空。

然而爱是一定有回报的。因此他拥有天南地北那么多朋友，那么广泛的热爱他艺术的人。如今韩美林已经是当今中国画坛、当代中国文化的一个符号。这种符号由国际航班带上云天，也被福娃带到世界各地。更多的是他创造的千千万万、美妙而迷人的艺术形象，五彩缤纷地传播于人间。这个符号的内涵是什么呢？我想是：

自由的心灵，率真的爱，深厚的底蕴，无边而神奇的创造，而这一切全都融化在美林独有的美之中了。

二〇〇六年五月　本文为《韩美林画集》序言

永恒的震撼

    这是一部非常的画集。在它出版之前，除去画家的几位至爱亲朋，极少有人见过这些画作；但它一经问世，我深信无论何人，只要瞧上一眼，都会即刻被这浩荡的才情、酷烈的气息，以及水墨的狂涛激浪卷入其中！

    更为非常的是，不管现在这些画作怎样震撼世人，画家本人却不会得知——不久前，这位才华横溢并尚且年轻的画家李伯安，在他寂寞终生的艺术之道上走到尽头，了无声息地离开了人间。

    他是累死在画前的！但去世后，亦无消息，因为他太无名气。在当今这个信息时代，竟然给一位天才留下如此巨大的空白，这是对自诩为神通广大的媒体的一种讽刺，还是表明媒体的无能与浅薄？

    我却亲眼看到他在世时的冷落与寂寥——

    一九九五年我因参加一项文学活动而奔赴中州。最初几天，我被一种错觉搞得很是迷惘，总觉得这块历史中心早已迁徙而去的土地，文化气息异常地荒芜与沉滞。因而，当画家乙丙说要给我介绍一位"非凡的人物"时，我并不以为然。

    初见李伯安，他可完全不像那种矮壮敦实的河南人。他拿着一叠放大的画作照片站在那里：清瘦，白皙，谦和，平静，绝没有京城一带年轻艺术家看上去那么咄咄逼人和莫测高深。可是他一打开画作，忽如一阵电闪雷鸣，夹风卷雨，带着巨大的轰响，瞬息间就把我整个身子和全部心灵占有了。我看画从来十分苛刻和挑剔，然而此刻却只有被征服、被震撼、被惊呆的感觉。这种感觉真是无法描述。更无法与眼前这位羸弱的书生般的画家李伯安连在一起。但我很清楚，我遇到一位罕世和绝代的画家！

这画作便是他当时正投入其中的巨制《走出巴颜喀拉》。他已经画了数年，他说他还要再画数年。单是这种"十年磨一画"的方式，在当下这个急功近利的时代已是不可思议。他叫我想起了中世纪的清教徒，还有那位面壁十年的达摩。然而在挤满了名人的画坛上，李伯安还是个"无名之辈"。

我激动地对他说，等到你这幅画完成，我们帮你在中国美术馆办展览庆祝，让天下人见识见识你李伯安。至今我清楚地记得他脸上出现一种带着腼腆的感激之情——这感激叫我承受不起。应该接受感激的只有画家本人。何况我还丝毫无助于他。

自此我等了他三年。由乙丙那里我得知他画得很苦。然而艺术一如炼丹；我从这"苦"中感觉到那幅巨作肯定被锻造得日益精纯。同时，我也更牢记自己慨然做过的承诺——让天下人见识见识李伯安。我明白，报偿一位真正的艺术家的不是金山银山，而是更多的知音。

在这三年，一种莫解的感觉始终保存在我心中，便是李伯安曾给我的那种震撼，以及震撼之后一种畅美的感受。我很奇怪，到底是一种什么力量，竟震撼得如此持久？ 如此的磅礴、强烈、独异与神奇？

现在，打开这部画集，凝神面对着这幅以黄河文明为命题的百米巨作《走出巴颜喀拉》时，我们会发现，画面上没有描绘这大地洪流的自然风光，而是全景式展开了黄河两岸各民族壮阔而缤纷生活图景。人物画要比风景山水画更直接和更有力地体现精神实质。这便叫我们一下子触摸到中华民族在数千年时间长河中生生不息的那个精灵；一部浩瀚又多难的历史大书中那个奋斗不已的魂魄；还有，黄河流域无处不在的那种浓烈醉人的人文气息。纵观全幅作品，它似乎不去刻意于一个个生命个体，而是超时空地从整个中华民族升华出一种生命精神与生命美。于是这百米长卷就像万里黄河那样浩然展开。黄河文明的形象必然像黄河本身那样：它西发高原，东倾沧海，翻腾咆哮，汪洋恣肆，千曲百转，奔涌不回，或滥肆而狂放，或迂结而艰涩，或冲决而喷射，或漫泻而悠远……这一切一切充满了象征与意象，然而最终又还原到一个个黄河儿女具体又深入的刻画中。每一个人物都是这条母亲河的一个闪光的细节，都是对整体的强化与意蕴的深化，同时又是中国当代人物画廊中一个个崭新形象的诞生。

我们进一步注目画中水墨技术的运用，还会惊讶于画家非凡的写实才华。他把水墨皴擦与素描法则融为一体，把雕塑的量感和写意的挥洒混合其间。水墨因之变得充满可能性和魅力无穷。在他之前，谁能单凭水墨构成如此浩瀚无涯又厚重坚实的景象！中国画的前途——只在庸人之间才辩论不休，在天才的笔下却是一马平川，纵横捭阖，四望无垠。

当然，最强烈的震撼感受，还是置身在这百米巨作的面前。从历代画史到近世画坛，不曾见过如此的画作——它浩瀚又豪迈的整体感，它回荡其间的元气与雄风，它匪夷所思的构想，它满纸通透的灵性，以及对中华民族灵魂深刻的呈现。在这里——精神的博大，文明的久远，生活的斑斓，历史的峻嶒，这一切我们都能有血有肉、充沛有力的感受到。它既有放乎千里的横向气势，又有入地三尺的纵向深度；它本真、纯朴、神秘、庄重……尤其一种虔诚感——那种对皇天后土深切执着的情感，让我们的心灵得到净化，感到飞升。我想，正是当代人，背靠着几千年的历史变迁又经历了近几十年的社会动荡，对自己民族的本质才能有此透彻的领悟。然而，这样的连长篇史诗都难以放得下的庞大的内容，怎么会被一幅画全部呈现了出来？

现在我才找到伯安早逝的缘故。原来他把自己的精神血肉全部搬进这幅画中了！

人是灵魂的，也是物质的。对于人，物质是灵魂的一种载体。但是这物质的载体要渐渐消损。那么灵魂的出路只有两条：要不随着物质躯壳的老化破废而魂飞魄散，要不另寻一个载体。艺术家是幸运的。因为艺术是灵魂一个最好的载体，当然这仅对那些真正的艺术家而言。当艺术家将自己的生命转化为一个崭新而独特的艺术生命后，艺术家的生命便得以长存。就像李伯安和他的《走出巴颜喀拉》。

然而，这生命的转化又谈何易事！此中，才华仅仅是一种必备的资质而已。它更需要艺术家心甘情愿撇下人间的享乐，苦其体肤和劳其筋骨，将血肉之躯一点点熔铸到作品中去，直把自己消耗得弹尽粮绝。在这充满享乐主义的时代，哪里还能见到这种视艺术为宗教的苦行僧？可是，艺术的环境虽然变了，艺术的本质却依然故我。拜金主义将无数有才气的艺术家泯灭，却丝毫没有使李伯安受到诱惑。于是，在本世即将终结之时，中国画诞生了一幅前所未有的巨作。在中国的人物画令人肃然起敬的高度上，站着一个巨人。

今天的人会更多认定他的艺术成就，而将来的人一定会更加看重他的历史功绩。因为只有后世之人，才能感受到这种深远而永恒的震撼。

一九九九年二月　天津

四驾马车展览。

留下长江的人

很少一位摄影家能够如此强烈地震撼我。为此，在他这些惊世之作出版之际，我要为他写一些动心的话。

一

当我们选择了长江截流而从中获得巨大的生活之必需，是否想到因此失去了这条波涛万里的大江，从此与养育了我们至少七千年的母亲河挥手告别。我们失去的不只是它绝无仅有、风情万种的景观，承载着无数的瑰奇而迷人传说的山山水水，永不复生的古迹，以及它对我们母亲般亲切无间的关爱。我们正在把它七千年的历史全部沉入一百多米的水底。我曾想过，如果美国人失去密西西比河，俄国人失去伏尔加河，法国人失去塞纳河，他们会怎么样？是的，我们将把大江无可比拟的动力转化为用之不竭的电力；我们再不会恐惧恣肆的洪水带来的无边的灾难。可是我们同时失去了长江！有时，我怨怪知识界的麻木不仁，没有反应。我们的历史精神与文化精神究竟在哪里？我们的民族失掉如此博大与深刻的一笔遗产——无论是自然遗产还是人文遗产。知识界缘何无动于衷？只有国家出资的考古队和电视台出现在长江两岸，却没有任何个体的文化行为。我一直期待着有人对这条濒临灭绝的长江进行文化性质的抢救。包括历史学家、人文学家者、民俗学家以及画家、作家、摄影家，等等。然而，当我第一次看到郑云峰先生拍摄的长江，我激动难奈。因为我实实在在触摸到在商品经济大潮中日渐稀少而弥足珍贵的历史责任与文化情怀。

二

郑云峰的行为是完全个人化的。

他自一九八八年就不断地只身远涉长江和黄河的源头，用镜头去探寻这两条华夏民族母亲河生命的始由。跋山涉水数十万公里，积累图片十数万帧。从那时，他的血肉之躯就融入了祖国山水的精魂。

十年后，随着长江大坝的加速耸起，三峡的湮灭日趋迫近，郑云峰决定和大坝工程抢时间，在关闸蓄水之前，将三峡的地理风貌、自然景象、人文形态、历史遗存，以及动迁移民的过程全方位地记录下来。这是一位年过半百的人所能完成的么？然而，历史使命都是心甘情愿承担的。于是他停止了个人的摄影，负债办起一家公司来积累资金。他用这些钱造了一条小木船放入长江，开始了摄影史上富于传奇色彩的"日饮长江水，夜宿峡江畔"的摄影生活。整整六年，无论风狂雨肆，酷暑严冬，他一年四季，朝朝暮暮，都生活与工作在长江。两岸的荒山野岭到处有他的足迹，许多船工村民与他结为好友。他日日肩背相机，翻山越岭，呼吸着山川的气息；夜夜身裹被单，睡在船中，耳听着江中浩荡而不绝的涛声。

也许他本人也不曾料到，这样的非物质和纯奉献的人生选择，最终得到的却是心灵的升华。

三

郑云峰与我大约是同龄人。但他个子不高，瘦健又轻爽，胳膊上的肌肉轮廓清楚。在三峡两岸随处都可以看到如此样子的人。他受到了长江的同化，已是长江之子。他面色黑红，牙齿皓白，这大概正是江上的风与江中之水的赐予。

同他对坐而谈，很快就能进入他的世界。他这些年在长江充满冒险经历的摄影生活，他的所见所闻，以及他的激情，他的忧虑，他的焦迫，还有对长江那种无上的爱。他几乎不谈他的作品，只谈他的长江。一个热恋的人满口总是对方，独独没有自己。我被他深深地感动着。

为此，他爬上过三峡两岸上百座巍峨的峰顶。有些山峰甚至被他十多次踩在脚下。有时他要和山民吃住在一起，一起背篓上山；有时要同船工划船拉纤，一起穿越激流与险滩。他不仅寻找最富于表现力的视角，更是要体验什么是长江真正的灵魂。

在那些乱石崚嶒、荆棘遍布的大山里。他的衣服磨出洞来，双腿磕破流血。可是有一天，他忽然感受到那些绊倒他的石头或刺疼他的荆条是有灵性的，是沉默的大山与他的一种主动的交流，他忽然感觉长江的一切都变得有生命、有情感、有命运的了。

最使他刻骨铭心的是三峡两岸的纤夫古道。那些被纤绳磨出一条条十几公分凹槽的石头，那些绝壁上狭窄的纤夫路，乃是长江最深刻的人文。他曾经在大雨中遇到一条纤夫古道，地处百米断崖，劈空而立，下临万丈深渊，恶浪翻滚。这古道只有肩宽，仅容双脚。千百年来，多少纤夫由于绷断纤绳，或者腿软足滑，落崖丧命？郑云峰要去亲身体验那些纤夫们的生命感受。尽管心惊肉跳，但他还是冒死地匍匐过去了。

还有哪一位摄影家、画家、作家和诗人这样做过？

也许你会问：为什么这样做？

他会用他说过一句话回答你：长江是一部《圣经》。

一条凝结着一个民族命运与精神的江河，一定是庄严、神圣和奥秘的。长江给予中国人的，绝不仅仅是饮用的水和一条贯穿诸省大动脉一般的通道，更重要的是它的百折不回的精神，浩阔的胸襟，以及对人们的磨砺。数千年来，人们与它在相搏中融合，在融合中相搏。它最终造就的不是中华民族豪迈与坚韧的性格么？

它又是一条流淌与回荡着民族精神的万里大江！郑云峰正是在这样的虔敬的境界中举起他的相机的。

四

　　为此，在整整六年对长江抢救性的拍摄中，他给我们的不是一般性的视觉记录，而是长江的精神，长江的魂魄，长江的气息，以及它深层的生命形象。

　　同时，这些出自于如此激情的摄影家手中的作品，每一帧都是情感化的。无论是对山花烂漫的三峡春色的赞美，对风狂雨骤的长江气势的讴歌；无论是对一块满是纤痕的巨石的刻画，还是对一片遍布暗礁的险滩的描述，都能使我们听到摄影家的惊叹、呼叫、欢笑与呜咽。如果不是他数年里在长江两岸的荒山野岭中来来回回地翻越，我们从哪里能获得如此绝伦的视角？特别是他站在那些峰巅之上全景的拍摄，会使我们出声地赞叹：这才是长江、三峡！

　　然而郑云峰会骄傲地告诉你，住在长江边上的人天天看到的都是这样的景色！

　　他已经是长江人的代言人了。唯有他才称得上长江的代言人！

　　自二〇〇〇年十一月长江便开始拦江蓄水。就此，传统意义的长江很快消失。无数历史人文和自然风景随即葬身水底，世代居住在两岸的百姓迁徙他乡。最重要的是，长江由"江"变为"湖"，由"动"变为"静"。不再有急流险滩，不再有惊涛拍岸，何处再能见到"大江东去"和"奔流到海不复回"那样的豪情？

　　一天，我在挥毫书写十年前一首诗《过三峡》。诗曰：

群山万道闸，
只准一舟行，
岸景疾如电，
转瞬过巴东。

　　一时我竟落下泪来。我联想到唐人的那些咏叹长江的诗篇都已成为匪夷所思的神话了！

然而，上苍竟在此时，赐给我们一位摄影家。他苦其体肤，劳其筋骨，以生命之躯去博取大江的真容。他以六年时间，倾尽家财，拍摄照片三万余帧。为我们留下了一个真切的、立体的、完整的三峡——还有三峡之魂！

　　艺术家不能改变历史，却能升华生活，补偿精神，记录时代，慰藉心灵。这一切，郑云峰全做到了。

　　我深信，将来的人们一定更能体会到郑云峰的意图。这便是这本图集真正的价值。因为，尽管长江三峡不复存在，却在这里获得了永生。

二〇〇二年十月一日

冯骥才 著

珍藏本

文人画宣言

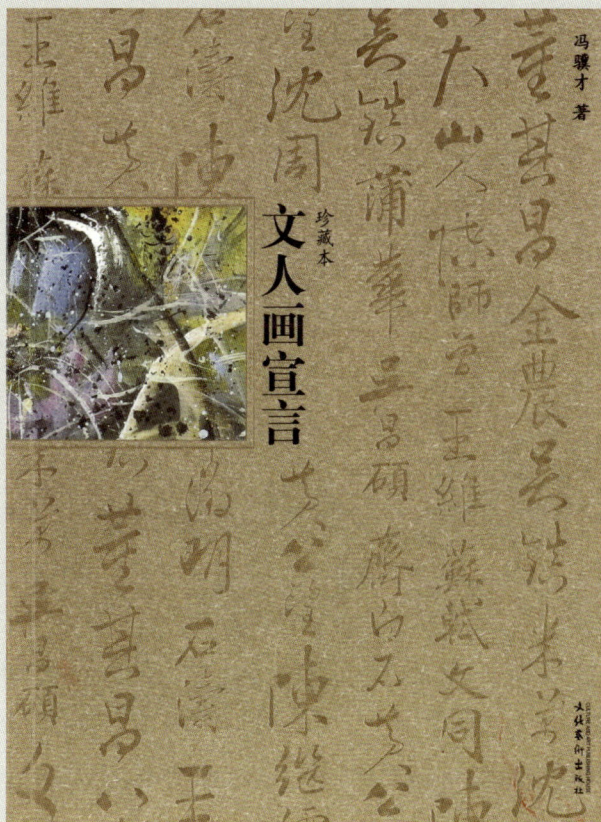

阐述本人绘画观的理论著作，二〇〇七年文化艺术出版社出版。

秋日里对春风的怀念

——代序兼记李文珍先生

我已经第二次接到旅美画家王公懿的越洋电话了。她用恳切而感人的口气"逼"我为一本书写序。其实，不用她"逼"我，我已经心甘情愿要为这本关于她的老师李文珍先生的书写序。

今世之人，尤其年轻人，肯定不知道李文珍先生是谁？然而曾经受过他绘画教育者，却刻骨铭心地记得他。究竟承受怎样的大恩大德，才能够这样记住一个人？

大约四十年前，我经常和画友岳钦忠去李文珍先生家串门。他住在窄窄的宜昌道上一幢临街的小楼里。在我眼里他家那间四四方方十多平米的客厅是一个小小的"美术沙龙"——当然不是真的沙龙。"文革"那时谁敢私设沙龙呀。不过是些常来的访者聊一聊艺术而已。他总坐在那张带扶手的椅子上抽着烟斗。无论谁进来或走掉，也很少起身。可能因为来到这小小"沙龙"的大多是他的学生们。他在耀华中学任教美术，我不是耀华的学生，但我崇拜他。他那种带着浓重的后期印象主义影响的油画，在"文革"那个文化贫瘠而苍白的年代，叫我们这些求知甚切的年轻人，如沐清风，耳目大开。

那时代的画儿全是好似吃了兴奋剂一样怒目挥拳的造反形象。但在他的画里却都是我们身边的事物。日光下彻的河水、白雪覆盖的街道、葱茏或凋败的树木、默默行走着的路人，还有种种室内的"静物"……可是这些再寻常不过的事物却莫名地神奇与迷人；尤其餐桌上那个总剩着半杯茶水的玻璃杯，晶亮夺目得叫人惊奇。他赋予这些形象何种法术？是神秘的美还是生命？

从今天的角度看，如果不是那个把日丹诺夫式的"现实主义"奉若神明的时代——如果换做今天——李文珍一定是一位独立画坛的杰出的大家。可惜，他的才华被那些荒谬的岁月长久地埋没并搁置一边。

然而，李文珍先生却不逢迎时尚，在寂寞中始终恪守着自己的艺术理想，几十年里一直静静地躲在自己的心灵里作画。他那些凝重刚健又颇具灵气的心性之作，不可能挂在当时任何一个画展上，但他绝不会为了世俗功利而矮化自己。这恐怕是那个文化专制时代一个有气质的艺术家仅能做到、又很难做到的。

李文珍先生的个子虽然不高，腰板挺直而威风。鼓鼓的脑门下目光温和又镇定。虽然他是他的家庭艺术"沙龙"的主人，可说话不多。在他的"沙龙"里谈话很自由，或是谈论谁的画，或是对谁拿来一幅近作议话一番，或是说说笑话。李先生不喜欢长篇大论，对他的话我们却十分留意。他常常冒出一句话，一语破的，道中绘画某一本质。可是他从不教训式地把这些道理硬塞给我们，而是说出来叫人感悟。每每此时，我们都像如获至宝。这是不是他的一种教育方式？

他不是那种用自己个人化的模子翻制学生的教师。尽管他有很执着的个人画风，却从不强迫学生学他的画。他善于发现学生的个性气质，循循善诱地把一个个独特的个性融入美的法则，化为彼此迥异的艺术。这样的艺术教育最难得，需要教师的艺术视野宽阔，并善于启发。其实这才最符合艺术的本质。因为艺术的生命就是个性。成就艺术首先是发现个性和完成个性。记得二十世纪六十年代，位于北京的几座国家级美术学院年年录取的新生中都有天津耀华中学的学生。他们都是李文珍的门徒，其中不少学生后来都成为很好的画家。然而，这些成功了的学生们更懂得老师的价值，不甘心老师只是一位出色的艺术教育家，还要为他在画坛找到理应得到的位置。

在"文革"刚刚过去的一九八〇年，他的学生们就自发地在天津解放路上的艺术展览馆举办"李文珍暨学生画展"。以众星捧月的阵式，将老师簇拥其间。我曾为那种情与义而感动，撰文相助。当时，李文珍先生还在世，如今李文珍先生已仙逝多年，身在天南地北的学生们又聚在一起，执意为老师再出一本图文并茂的画集，并纷纷写文章忆往事而尽心声。八〇年这些学生都正当盛年，如今多已年近花甲。依我看，八〇年那次展览所努力的是为老师讨回艺术的公道，此次则是对恩师的一种悠长而不灭的怀念。今日怀念皆缘于昔日的情谊。这是一种秋天的果实对远去的春天深长的感激。每个秋实的汁液里都包含着春天的雨露；每片通红的秋叶里都隐藏着春天和煦的风。这些我们都从这部厚重的书中感到了。但愿这样纯正的艺术和这种美好的情感，能为更多的人感知。

二〇〇七年十月六日

个人照。

冯骥才书画作品集目录

序号	书名	体裁	出版年月	出版社
1	《冯骥才画集》	画集	1990.09	杨柳青画社 现代出版社 台湾汉京出版社 合作
2	《温情的迷茫》	画集	1992.04	杨柳青画社
3	《丹青集》	艺术评介集	1993.11	杨柳青画社
4	《冯骥才现代中国画展》	日文版画集	1994.09	日本朝日新闻社
5	《画外话·冯骥才卷》	图文集	1999.12	人民文学出版社
6	《冯骥才画中心情》	绘画与散文集	2002.12	台湾未来书城
7	《名家名品·冯骥才》	画集	2003.01	浙江人民美术出版社
8	《当代书法家丛书·冯骥才》	书法集	2003.05	西苑出版社
9	《民间，民间……》	画集	2004.10	中州古籍出版社
10	《心中十二月》	画册	2007.06	冯骥才民间文化基金会
11	《水墨诗文》	画册	2007.06	冯骥才民间文化基金会
12	《文人画宣言》	理论	2007.06	文化艺术出版社
13	《戊子之春》	画册	2008.05	天津市大树画馆

序号	书名	体裁	出版年月	出版社
14	《笔墨精神，光影灵性——冯骥才的艺术世界》	绘画专辑	2010.03	名作欣赏杂志社
15	《冯骥才画集 (1990-2010)》	画集	2010.12	中华书局
16	《心居清品》	书法集	2015.01	中华书局

冯骥才举办过的个人画展

序号	时间	名称	地点
1	1991.04	冯骥才画展	天津艺术博物馆
2	1991.09	冯骥才画展	山东·济南美术馆
3	1991.12	冯骥才画展	上海美术馆
4	1992.04	冯骥才敬乡画展	浙江·宁波美术馆
5	1992.09	冯骥才入川画展	四川·重庆·李白画廊
6	1992.12	冯骥才画展	北京·中国美术馆
7	1993.05	"温情的迷茫" ——冯骥才小品画展	奥地利·维也纳·巴瓦克银行画廊
8	1994.06	冯骥才画展	天津·金帆画廊
9	1994.06	冯骥才画展	新加坡·河畔中心画廊
10	1994.09	冯骥才现代中国画展	日本·东京·中日友好会馆
11	1994.09	冯骥才现代中国画展	日本·大阪艺术中心
12	1995.08	冯骥才绘画展	美国·旧金山·南海艺术中心
13	2002.04	冯骥才甲子省亲画展	宁波·天一阁
14	2002.04	冯骥才津门画展	天津·天津市美术展览馆

序号	时间	名称	地点
15	2002.04	冯骥才历城画展	济南·山东新闻大厦
16	2002.09	冯骥才石门画展	石家庄·河北文学馆
17	2004.11	冯骥才公益画展	天津·天津市美术展览馆
18	2004.11	冯骥才公益画展	北京·中国现代文学馆
19	2007.06	水墨诗文 ——冯骥才丁亥公益画展	南京·爱涛艺术中心
20	2007.06	心中十二月 ——冯骥才丁亥公益画展	苏州·苏州市博物馆
21	2008.05	戊子之春画展	天津·大树画馆
22	2011.11	春画秋诗画展	天津·大树画馆
23	2012.09	四驾马车 ——冯骥才的绘画、文学、文化遗产保护与教育展	北京画院